KB076615

네 옆의 X들

네 옆의 X들

발    행 | 2024년 6월 30일
저    자 | 김민서
펴낸이 | 한건희
펴낸곳 | 주식회사 부크크
출판사등록 | 2014.07.15.(제2014-16호)
주    소 | 서울특별시 금천구 가산디지털1로 119 SK트윈타워 A동 305호
전    화 | 1670-8316
이메일 | info@bookk.co.kr

ISBN | 979-11-410-9150-7

www.bookk.co.kr

# 네 옆의 X들

김민서 지음

# 차례

# 1

　나는 주인공이 아니다. 주인공은…… 높디높은 저쪽 세계에서 시험을 치르는 중이시다. 문제 출제자는 엑스트라들. 아무튼, 내가 있는 세계는 저쪽이 아니라 이쪽이다. 나는 작게 한숨을 쉬며 창밖을 바라보았다. 길거리에는 걸어 다니는 그래픽 하나 없었다. 오직 바람만이 나의 적적함을 공감해 주었다. 여유로운 카페 안의 음악과는 전혀 어울리지 않은 남자애들 둘이서 당당히 테이크 아웃 컵을 들고 앉아있다. 아르바이트생이 눈치를 주며 우리를 쳐다봤다. 하지만 재연은 아랑곳하지 않고 워치에만 시선을 고정했다. 워치, 그러니까 쉽게 말하면 핸드폰 같은 거다. 사실상 별 차이도 없다. 내가 자리를 뜨자고 말해도, 아무도 없는데 뭐가 어떠냐면서 의자에 거의 드러누운 재연이었다. 아무래도 본인 눈에만 보이지 않는 손님들이 있는 모양이다. 재연은 나의 아주 오랜 친구다. 좋게 말해서 친구지 솔직하게 그냥 끼고 다니는 애다. 어이없게도 재연도 나를 그렇게 생각하고 있는 것 같다.

오늘은 또 뭘 하려고 나를 불렀나 했는데, 평소와 다를 것 없던 일정에 뜬금없이 카페가 낀 것이었다. 단 걸 좋아하는 재연이 카페에 오는 것이 이상한 일은 아니었지만 그렇다고 여기에 죽치고 있는 것이 매우 언짢았다.

"야. 나도 계획이라는 게 있거든? 언제 나갈 건데?"

"기다려 봐⋯⋯."

재연은 본인 손에 세상의 미래라도 달린 것처럼 심각한 표정으로 게임에 집중하고 있었다.

"아!"

결국에는 승리를 거머쥐는 데 실패한 듯했다. 재연은 신경질적으로 워치를 끄고 남은 음료를 벌컥벌컥 마셔댔다. 나는 그런 재연을 표정 없이 주시했다. 그러든 말든 재연은 기지개를 켜며 본인 할 말을 시작했다.

"주인 바뀐 지 얼마나 됐다고 또 바뀌냐. 세상 잘 돌아간다."

재연은 컵에 담긴 얼음까지 전부 씹어 먹고서 세상 한탄을 시작했다. 처음 듣는 소식에 화제는 자연스레 그쪽으로 넘어갔다.

"진짜? 난 못 들었는데. 언제 바뀌었어?"

"그제. 뉴스 좀 보고 살아라."

"네가 할 말은 아닌 것 같은데."

요즘 '주인공'이 자주 바뀌는 탓에 크게 와닿지는 않았다. 재연은 연신 한숨을 쉬며 주먹을 쥐었다.

"또 왜 그러는데. 주인공이 자주 바뀐다고 나쁠 건 없잖아?"

"너 같으면 화가 안 나? 지금 6년째 우리 지역으로 안 오고 있는데!"

내가 사는 이곳은 소프트웨어 공간이다. 무엇이든, 누구든 전부 그래픽으로 이루어져 있는 세상이다. 그건 나와 내 앞에서 눈에 불을 켜고 있는 재연도 마찬가지이다. 재연이 화가 난 이유를 설명하기 위해 우선 '주인공'에 대해서 말해보자면⋯⋯

"엑스트라님, 엑스트라님은 왜 주인공 구경 안 가세요?"

10살 무렵의 내가 어머니 엑스트라에게 한 질문이다.

이 세상에는 단 한 명뿐인 '주동 인물'이 존재한다. 나는 쉽게 '주인공'으로 바꿔 부른다. 재연은 '주인'으로. 주인공을 제외하면 나머지는 모두 엑스트라이거나 그 이하의 존재인 그래픽들이다. 주인공과 엑스트라, 그래픽은 모두 동일한 존재이지만, 무작위로 선정한 주인공 그래픽은 인생이라는 시험이 시작됨과 동시에 자신을 인간으로 인식하게 되고, 엑스트라는 그런 주인공의 앞에서 '인간'을 연기할 수 있는 자격이 주어진다는 차이점이 있다.

어머니는 자세를 낮춰 나와 눈높이를 맞추셨다.

"예훈 씨, 저는 예훈 씨처럼 분량이 많지 않답니다. 그래서 갈 수 없어요."

엑스트라는 가상의 캐릭터를 연기하며 주인공의 주변에서 여러 가지 상황을 던져준다. 그것으로 주인공의 요건이 갖춰졌는지를 시험한다. 시험에서 통과한 주인공은 가짜 인간 흉내를 내는 그래픽들이 아닌, 실제 인간들의 세상에서 영원히 주인공으로 살 수 있다.

"적어도 지금 나는 네 보호자이자 어머니란다. 어머니라고 부르렴."

"네…… 어머니."

정리하자면, 주인공도, 엑스트라도 아닌 그래픽들이 사는 이 세상, 본인만 모르는 시험을 치르는 주인공과 엑스트라들이 사는 두 번째 세상, 시험을 통과하면 갈 수 있는 실제 세상. 이 세 가지 세상이 존재한다. 하지만 여기서 큰 문제가 있다. 주인공이 사는 지역이 우리가 발령받은 지역과 멀리 떨어져 있으면 주인공을 볼 기회조차 없어 그 자리를 빼앗을 기회는커녕, 엑스트라조차도 되지 못한다. 시스템에서 한 번씩 주인공이 전혀 나오지 않은 지역에 무작위로 한 명을 주인공으로 설정해 주기도 한다.

하지만 얼마 지나지 않아 다시 그래픽 수가 많은 지역으로 옮겨 가곤 하는데, 우리 지역에서 주인공이 탄생한 지가 자그마치 6년 전이다. 그리고 오늘이 바로 그 6주년. 그것이 지금 내 앞의 그래픽이 화가 난 이유다.

"오천만 그래픽에게 어떻게 기회가 동등하겠어. 네가 참아."

재연은 내 말을 귓등으로 듣고 워치에만 시선을 고정했다.

"아, 나도 도시에 발령 났으면 뭐라도 해볼 수 있는데……."

그래픽들은 한 번 발령이 나면 절대 그 지역을 벗어날 수 없다. 타지에 사는 그래픽을 기어코 기억해내 의문을 품는 기억력 좋은 주인공들 때문에 만들어진 법이다. 한때는 나도 재연처럼 야망이 있어서 이 지역을 벗어나기 위해 수단 방법을 가리지 않았다. 워치를 해킹해 보기도 하고, 아날로그 방식으로 직접 대중교통을 이용해서 가 보기도 했지만 당연하게도 모두 실패했다. 그렇게 포기한 채로 십몇 년간 평범하게 지내고 있었다. 재연이 그 말만 꺼내지 않았다면 지금까지도 계속 무의미한 생활을 유지하고 있었겠지.

"야, 우리 강연 들으러 가자."

멍을 때리다가 뜬금없이 튀어나온 재연의 말에 고개를 돌렸다.

"갑자기 강연? 무슨 강연을?"

재연은 무언가 계획이 있는 듯 한껏 진지한 목소리로 말했다.

"아저씨가 굉장한 팁을 전수해 준답시고 강연을 열겠대."

"아저씨? 누구 말하는 건데?"

"예전에 주인이었던 그 아저씨 있잖아."

'아저씨'는 6년 전 우리 지역의 마지막 주인공이었던 그래픽이다.

"…… 그래서 거길 가겠다고?"

내가 황당하다는 표정으로 묻자 재연이 능청스럽게 대답했다.

"아니, 나 혼자는 안 가지. 너도 같이."

재연은 본인의 계획대로 흘러갈 것이라는 투명한 표정을 지었다.
"난 갈 생각 없어. 혼자 다녀와."
나는 단호하게 말하고 자리에서 일어났다. 재연은 여유를 부리며
다시 입을 열었다.
"선착순에다가 데이터도 엄청 비싼데? 뭔가 신뢰가 가잖아?"
대체 어느 부분에서 신뢰가 간다는 건지.
"너 어차피 갈 데도 없잖아."
"그렇다고 데이터를 낭비하진 않아."
데이터는 그래픽들이 사용하는 화폐와 같다.
"낭비가 아니라 미래를 위한 투자지."
재연은 본인이 홍보대사라도 된 마냥 나를 설득했다. 말은 그렇
게 했지만 내심 강연이 궁금해진 나는 못 이긴 척 넘어갔다.
"그래, 그래. 알았어. 근데 넌 그렇게까지 주인공이 되고 싶어?"
재연은 일말의 망설임도 없이 대답했다.
"당연한 거 아니야? 누가 주인 눈치나 보면서 수발드는 따까리
노릇만 하다가 처분되고 싶겠냐고. 난 꼭 주인 자리를 차지할 거
야."
"어련하시겠어."
이 세상의 잔혹함이 재연의 말에서 드러났다. 그래픽들은 각자의
정해진 기간까지 주인공이 되지 못하면, 인정사정없이 처분당한
다. 그래픽들마다 기간이 전부 다른데, 처분되기까지의 평균 기
간은 약 100년이다. 내가 여유로운 이유도 그 때문이다. 나는 아
직 기간의 반의반도 살지 않았으니까. 재연은 고개를 돌려 나를
보았다.
"물론 너도 같이."
한 명 이상은 절대 동시에 주인공이 될 수 없다. 나는 그냥 웃어
넘겼다. 몇 년 지기 친구에게 하는 입에 발린 말이라고 생각했기
때문이다.

"시간 거의 다 됐으니까 가자. 어차피 너도 등록해 놨었어."

또 이 녀석의 손에 놀아났다는 것을 그제야 깨달았다. 재연이 강연장 주소를 불러주었다. 카페 밖으로 나가 워치에 대고 말했다.

"이 주소로 이동."

워치는 본인의 지역 내에서라면 어디로든지 이동이 가능하다. 우리는 순식간에 강연장에 도착했다.

강연장은 평범하고 허름한 학교였다. 입구에서 뚱뚱한 아저씨 모습의 그래픽이 학교 안으로 들어가려는 그래픽들과 대화를 나누고 있었다.

"야, 야! 쟤 기억하냐? 우리 엑스트라였을 때, 쟤 프로그램 안 들어서 내가 끌어냈잖아."

재연이 웃겨 죽겠다는 표정으로 학교 앞에서 서성이고 있는 그래픽을 가리켰다. 나와 재연은 엑스트라였던 경험이 있다. '아저씨'가 주인공이었던 6년 전에 우리는 처음이자 마지막으로 엑스트라였었다.

"쟤도 강연인가 뭔가 들으려고 왔나 보네."

엑스트라가 주인공 앞에서 연기해야 하는 캐릭터의 설정이 들어 있는 칩을 '프로그램'이라고 부르는데, 엑스트라로 선정이 되면 시스템에서 제작한 개별 프로그램을 심고 연기를 해야 한다. 프로그램은 엑스트라의 정체성 그 자체이며 프로그램이 없으면 엑스트라도 없다. 하지만 이 세상에 생성될 때 오류가 발생한 극소수의 그래픽들은 프로그램이 시키는 연기를 잘 소화해 내지 못한다. 주인공은 엑스트라들도 모두 자신과 같은 '인간'으로 인식하기 때문에, 주인공이 우리의 존재에 대해서 의구심을 가질 만한 실수라도 저지른다면 그들은 몰래 '퇴장' 당한다. 주인공이 세상에 이질감을 느끼지 않도록. '퇴장'은 '개조', '처분'과 같은 맥락이다. 생성될 때부터 설정 오류 때문에 엑스트라로 살아가기

불리한 그래픽들이 조금 불쌍하긴 하지만, 너도나도 엑스트라와 주인공이 되고 싶어 하는 세상에 태어난 그 그래픽들이 재수가 없는 것이다.

"두 분 강연 들으러 오셨습니까?"

아까 봤던 뚱뚱한 아저씨가 어느샌가 우리 앞에 와 있었다.

"저는 강연자입니다. 잘 부탁드리겠습니다."

그가 워치를 우리 앞에 내밀며 말했다.

"데이터 전송을 부탁드리겠습니다."

재연과 내가 차례대로 워치를 대자 실시간으로 데이터가 빠져나갔다. 생각한 것보다 비싸서 조금 놀랐다.

"감사합니다. 조금 있다가 뵙지요."

"엄청 살쪘네."

재연이 아저씨를 지나치자마자 놀려댔다. 나는 뒤를 돌아보며 그의 눈치를 살폈다. 맞는 말이긴 했다. 나도 한 번에 알아보지 못했으니까. 웃을 때 화가 난 것처럼 좁혀지는 미간 주름 때문에 알아볼 수 있었던 것이다. 그가 주인공이었을 때 나와 재연은 제법 분량 있는 '서브 엑스트라'였다. '메인 엑스트라'보다는 못 하지만 그 하위 호환이라고 생각하면 편하다. 우리의 배역은 선한 역할이었다. 그 때문에 처음이자 마지막으로 주인공을 보좌할 수 있었다. 6년 전에나 주인공이었던 그래픽이 갑자기 강연을 연다는 것이 좀 이상하긴 했지만 그래도 오랜만에 보니 반가운 마음이 들었다. 하지만 그는 우리를 모른다. 주인공의 자격이 박탈되면 자신이 주인공이었을 때의 기억은 사라지기 때문이다. 나와 재연이 그의 엑스트라이기 이전에 우리는 모르는 사이였으니, 그가 우리를 알아보지 못하는 것은 당연한 이치이다.

"옛날 생각나네."

"으, 뭔데…… 느끼하게."

워치로 이동하려는 재연을 말리고 기꺼이 걸어서 올라왔다. 올라오면서 느낀 건데, 아무래도 공식적인 강연장이 아니라 그냥 빈 학교를 잠시 빌린 것 같았다. 그래픽 세상에서는 교육이 의무가 아니다. 주인공 자리에 욕심 있는 그래픽들이 인간 세상에 가서 뒤처지지 않도록 선택적인 학습을 할 뿐이다. 그래서 주인공이 잘 오지 않는 이곳은 더욱더 학교가 쓸모없다.

교실에 들어섰다. 소수의 그래픽들과 강연자가 벌써 도착해 있었다. 빔프로젝터에 '주동 인물이 되는 법'이라는 글자가 큼지막하게 적혀 있었다. 우리가 자리에 앉자마자 강연자가 본인 소개를 하며 이야기를 시작했다.

"여러분, 저는 6년 전에 처음이자 마지막으로 주동 인물이었습니다. 그때의 기억은 참, 이루어 말할 수가 없군요. 예, 정말 말할 수가 없습니다. 제가 주동 인물이었을 때의 기억은 지금 제게 없으니까요."

분위기를 풀기 위해 내뱉은 말이 오히려 분위기를 어수선하게 만들었지만, 그는 포기하지 않았다.

"누가 제게 왜 내가 실패했는지 말씀해 주시지 않겠습니까?"

그래픽들이 수군거리기 시작하자 그제야 강연자는 요점으로 돌아왔다.

"농담입니다. 제가 법을 어기기라도 하겠습니까?"

그가 말한 '법'이란, '누설 금지법'을 말한 것이다. 특정 그래픽이 주인공이었을 때 일어난 모든 일들은 본인에게 절대로 누설해서는 안 된다. 몰래 그 내용을 주고받는다고 하더라도 우리 몸의 일부라고 할 수 있는 워치가 그것을 잡아내 그 즉시 누설과 연관된 그래픽들의 모든 기억을 삭제시키는 무서운 법이다. 하지만 나는 아직도 왜 그런 법이 있는지 모르겠다. 이 세상은 모두를 주인공으로 만들려고 함과 동시에 모두를 엄격하게 쳐내려는 것 같다. 오천만 그래픽들 중에 시험을 통과해 인간 세계로 간 그래픽들에게 묻고 싶다. 그대들은 정말 그곳의 주인공인가?

강연자의 목소리가 나의 몽상을 뚫고 들어왔다.

"여러분들! 너무 억울하지 않으십니까? 세상은 우리에게 주동 인물이 될 기회는커녕 작은 엑스트라 역할조차 허락하지 않습니다! 저를 마지막으로 이 지역은 버림받은 지역이 분명합니다. 누군가는 이 시스템을 바꿔놔야 한다는 소리입니다!"

그의 강경한 말투에 그래픽들이 하나 둘 목소리를 내기 시작했다.

"맞아요. 그래픽들의 인구수 격차가 심하니까 여기는 쳐다도 안 보잖아요."

"왜 그렇게 불공평하게 발령이 났을까요? 정말 세상이 우릴 버린 걸까요?"

저들의 말대로 세상은 불공평하다. 먼 지역에 사는 주인공이 되고 싶은 그래픽에게도, 밀집 지역에 사는 주인공 자리를 필요로 하지 않는 그래픽에게도, 뺏고 뺏기는 주인공에게도.

"하지만 세상을 변화시키기 전에, 저희도 만반의 준비를 해야 합니다. 지금부터 오늘 여러분들을 모신 이유인 '주동 인물이 되는 법'에 대해서 설명해 드리겠습니다."

강연자의 말이 끝나자마자 그래픽들은 감정이 벅차올랐는지 박수를 치기 시작했다.

"아직 시작한 거 아니었냐."

재연이 시큰둥한 표정으로 기지개를 켰다.


"제 기억은 주동 인물의 자리를 박탈시킨 바로 그때부터 지워졌고, 실패함과 동시에 돌아왔습니다. 즉, 저는 제가 주동 인물이 되어서 무슨 행동을 했는지, 왜 실패했는지를 전혀 알 수 없습니다. 하지만 그런 제가 자신 있게 말할 수 있는 것이 하나 있습니다. 바로, 제 앞전의 주동 인물을 박탈시킨 방법입니다. 여러분들도 만약 기회가 온다면 이 방법을 사용해 보시길 바랍니다.”

강연자가 계속 뜸을 들이자 그래픽들은 궁금해 죽겠다는 듯이 몸을 책상 앞으로 뺐다.

“그 방법은 바로…… 주동 인물을 죽이는 것입니다!”

“헉!”

“데이터 삭제?”

그래픽들이 약속한 듯이 몸을 뒤로 뺐다. 반응이 좋아 신이 난 강연자가 그들을 진정시켰다.

“이건 단지 비유일 뿐입니다, 여러분. 주동 인물의 인격을 죽이는 것만이 자리를 빼앗을 수 있는 유일무이한 방법입니다.”

그의 말이 납득되지 않았지만 계속 들어보기로 했다.

“욕하라고? 그건 자신 있지.”

“그거겠냐고.”

재연이 쓸데없이 비장한 표정으로 고개를 끄덕였다. 내가 어쩌다 이런 애랑…….

“주동 인물을 모욕하고 한껏 잘나지십시오! 주동 인물이 자신이 실패자라는 것을 깨닫고 당신이 이 세상의 주인공이라고 생각할 때, 당신은 주동 인물이 될 수 있습니다!”

“진짜네?”

재연이 흥미롭다는 듯 자세를 고쳐앉았다. 그의 말이 완전히 틀린 말은 아니지만 그렇다고 맞는 말은 더욱 아니다. 주인공의 옆에는 메인 엑스트라들만이 볼 수 있는 ‘실패 게이지’가 항상 따라다니는데, 이것은 주인공의 자리 박탈 가능성을 시각적으로 나타낸 것이다. 게이지가 가득 차면 그 즉시 주인공의 자리에서 박탈되고 만다. 이 게이지는 주인공이 자신을 존중하지 않거나 남에게 열등감을 느낄 때, 자신을 보살피지 않는 순간순간마다 조금씩 차게 된다. 모든 엑스트라들이 한마음 한뜻으로 주인공이 자신의 가치를 높게 생각하도록 설득해 인간 세계로 보내는 방법도 있다. 하지만 욕심 많은 엑스트라는 자신을 악한 배역으로 설정해 잔인하게 주인공을 깎아내려 자리를 박탈시킨다. 평화주의자인 나에게 후자는 좋은 방법이 아니라는 생각이 든다. 왜 굳이 피를 튀기며 경쟁해야 하는가? 결국 납득이 되지 않은 나는 조용히 손을 들었다. 강연자가 나를 손가락으로 가리켰다.

"그 근거는요? 왜 굳이 그런 폭력적인 방법을 사용해야 하죠?"

나의 물음에 강연자는 의미를 알 수 없는 박수를 한 번 쳤다.

"좋은 질문입니다. 제 주장의 근거는 바로, 그가 주동 인물이기 때문입니다."

직설적이지 않은 그의 화법에 그래픽들은 또다시 의자에 몸을 기댔다.

"자, 주동 인물의 자리는 어떻습니까? 여유로울 정도로 넘쳐납니까, 아니면 서로 못 가져서 안달입니까? 여러분! 목표를 이루기 위해서는 같잖은 동정심 따위는 전혀 도움이 되지 않습니다. 누구든지 발판 삼아야 하죠. 그래야 우리의 궁극적인 목표인 '주동 인물'이 될 수 있기 때문입니다!"

"와아아아!"

말만 강연이지 무슨 사이비 종교 단체를 보는 것 같았다.

변했다. 내 기억 속에서 따스하게 나를 보살펴주던 아저씨는 이제 없다. 모든 존재는 변화하지만 그래도 조금 씁쓸했다. 주인공이었을 때의 아저씨는 평범한 몸무게의 평범한 회사원이었다. 나와 재연은 10살의 아이들이란 배역을 맡았고, 항상 아저씨의 퇴근 시간에 맞춰 놀이터에서 놀면서 그를 기다렸다. 그러면 아저씨가 우리에게 다가와 당시의 우리는 이해하지 못하는 고민들을 푸념하듯이 늘어놓았다. 우리는 아이들의 언어로 그를 위로해 주었다. 그때마다 아저씨의 실패 게이지는 조금씩 내려갔지만, 일시적인 현상일 뿐이었다. 듣기로는 아저씨는 자신의 능력의 한계를 깨닫고 크게 절망하여 결국 실패자가 되었다고 했다. 우리가 그토록 보좌했던 주인공의 실패는 우리에게도 크게 다가왔다. 내가 느끼기에 아저씨는 단단했다. 고작 일 좀 못 한다고 실패자가 될 만한 그래픽은 아니었다는 말이다. 그날로부터 며칠 뒤, 아저씨의 실패 원인이 그래픽들의 워치에 공지되었다. '상실' 그것이 그 이유였다. 우리의 특별했던 주인공은 본인을 잃어버리고야 말았다. 몸속에 찬물을 들이부은 기분이었다. 그런 느낌은 처음이었다. 몸 한가운데 구멍이 생겨 그곳으로 모든 찬 바람이 지나다니는, 이상하고 복잡 미묘한 기분이었다. '누구든지 발판 삼아……' 강연자가 내뱉은 말을 곱씹었다. 그래, 아저씨는 그런 방법으로 주인공이 되었던 것이군요. 순간 또다시 싫은 느낌이 파도치듯 밀려왔지만 나는 이내 그것을 다스렸다.

"야, 가자."

언제 끝이 났는지 교실 자리는 거의 비어있었다.

"어디 갈래, 여기서 헤어질래?"

재연이 워치를 켜 이동할 준비를 하고 있었다. 나는 이번에도 그것을 말려 걸어 내려 가기로 했다.

"언제부터 걸어 다녔다고."

"생각할 게 조금 있어서 그래."

재연은 싫은 표정으로도 내 말을 따랐다.

"거기, 그래픽님."

강연자가 우리를 불러 세웠다.

"조언을 하나 드려도 되겠습니까? 그래픽님께 꼭 필요한 조언인 것 같아서 말입니다."

"뭔데요?"

그 사이를 못 참은 재연이 고개만 돌린 채 물었다.

"엑스트라가 되셨을 때는 절대로 자신의 배역에 맞지 않는 행동을 해서는 안 됩니다. 이건 조언이 아니라 경고입니다. 언제나 이성적으로 판단하시고 행동하셔야 합니다."

모든 엑스트라는 프로그램이 시키는 연기를 하던 도중 본인이 참관할 수 없다. 그래픽이 엑스트라가 됨과 동시에 그의 몸은 프로그램의 소유가 된 것과 마찬가지이기 때문에 엑스트라가 되는 순간, 그것을 동의한 것으로 치부된다. 하지만 주인공이 보고 있지 않을 때는 프로그램을 잠시 끄고 본인의 의지대로 행동해도 상관없다. 누구나 다 아는 사실을 우리에게만 공유하는 것처럼 말하는 강연자를 매몰차게 등졌다.

"별로 대단한 것도 아닌데 뭘."

재연도 시시하다는 듯이 뒤돌아섰다.

"가끔 말입니다."

강연자의 진지한 말투에 나도 모르게 다시 뒤를 돌아보았다.

"장애를 가지고 생성돼 프로그램이 안 듣는 그래픽들이 있습니다."

말을 해도 꼭…… 아까 학교 앞에서 말한 극소수의 그래픽들에 대한 얘기이다. 정식 명칭은 '설정 오류 엑스트라'.

"아까부터 계속 당연한 말씀만 하시네요. 강연 내용도 마찬가지고요. 모두가 다 아는 사실일 텐데요."

그의 지겨운 복습에 내가 한마디 했다. 그는 눈 하나 깜빡이지 않고 본인 주장만 했다.

"소름 끼치지 않습니까? 엑스트라가 되어야지만 주동 인물이 될 수 있는 세상에 그런 모순적인 존재들이 있다는 게? 징그럽기까지 합니다."

"아, 예."

말이 통하지 않는다는 것을 느끼고 교실 문을 열었다.

"그래서 당신이 징그럽습니다."

"…… 네?"

문을 잡고 멈칫했다. 내 귀에 이상이 있나 순간 의심했다.

"당신이, 몹시, 징그럽다고요."

강연자는 나를 보며 눈살을 찌푸리기까지 했다.

"아이, 아저씨."

재연이 강연자에게 다가갔지만 내가 제지했다.

"할 말 없습니다. 시간만 버렸네요."

그러고 그곳에서 나오려고 했지만 어릴 때 보았던 아저씨의 모습이 자꾸 아른거려서일까, 그에게 한마디 했다.

"그리고 전, 그 극소수의 그래픽이 아닙니다. 뭐든지 쉽게 판단하지 마세요. 남도, 본인도."

나는 재빨리 재연을 먼저 문밖으로 밀어 내보냈다. 혹여나 재연이 폭력이라도 사용한다면 일이 커지게 될 것 같았기 때문이다.

"전 어른입니다. 딱 보면 알죠. 프로그램이 없어져도 배역에 맞는 연기를 하시길 바랍니다."

강연자는 나를 가소롭다는 듯이 내려다보았다.

"저희가 아는 사이였던가요? 굉장히 무례하시네요."

"…… 그쪽에게서 알 수 없는 친밀감이 느껴져서 좋은 마음으로 조언하는 겁니다. 다른 의미로 받아들이진 마세요."

나는 그의 눈을 똑바로 봤다. 내가 아는 그 주인공이 아니다. 더이상 미련 따위는 없었다.

"아니, 아저씨는 그냥 분풀이를 하고 싶으신 거예요. 만만해 보이는 저한테. 주인공이었다가 한 번에 실패자가 되니까 모든 게 다 아니꼬우시겠죠."

그는 별 타격이 없는 듯 가벼운 표정으로 대꾸했다.

"마음대로 생각하십시오. 언젠가는 제 말을 이해하실 테니까요."

그의 말을 끝으로 나는 교실을 완전히 나왔다. 나 대신 분노하는 재연을 진정시키며 학교를 빠져나왔다. 그의 말은 완전히 틀렸다. 나는 결코 설정 오류 엑스트라가 아니다. 재연과 서브 엑스트라였던 시절에도 잘만 연기했었다. 그것도 본인 앞에서. 어떻게 아저씨가 나에게 그런 말을 할 수 있을까. 기분이 처참하게 가라앉았다. 그 순간, 내가 주인공이 되어야만 하는 목표가 생겼다. 내가 주인공이 되면 아저씨의 말이 틀리고도 남았다는 것을 몸소 증명할 수 있는 셈이다. 스스로 본인을 상실시킨 아저씨를 존중해 줄 마음은 없다. 깨닫게 해 줄 것이다. 뭐든지 쉽게 판단하지 말라는 내 말의 참뜻을.

# 2

  어이없게도 며칠 뒤, 주말 아침의 느긋한 단잠을 방해한 알림의 정체에 황당함을 감출 수 없었다. 알림을 확인했을 땐 저번에 들은 강연 같지 않은 강연의 내용을 그대로 실천한 한 그래픽이 워치의 긴급 공지 1면을 통째로 차지한 불상사가 발생한 뒤였다. 제목은 이러하였다.

'워치 해킹한 16세 그래픽, 주인공 자리까지 차지…… 시스템 비상'

제법 심각한 상황인 것 같아 워치를 컴퓨터에 연동시켜 큰 화면으로 공지를 읽어 내려갔다. 요점은 이랬다. 나와 재연이 강연이라 칭하기도 뭐 한 것을 들으러 갔을 때, 그 자리에 있던 우리 또래가 강연자가 한 '누군가는 이 시스템을 바꿔놔야 한다.'는 말을 듣고 그것을 직접 실현했다는 얘기이다. 내가 그렇게 시도했던 워치 해킹을 단 며칠 만에…… 대단한 재능이다. 긴급 공지를 찬찬히 전부 읽어보니, 그 재능형 천재가 워치를 해킹해 도시로 가서 주인공의 자리를 강제로 **빼앗아** 지금까지 도시 한복판을 돌아다니고 있다고 한다. 댓글들의 의견은 정확하게 반으로 나눠져 있었다. 한 쪽은 시스템이 얼마나 불공정했으면 청소년이 직접 나서냐면서 이대로 유지시키자는 의견(대부분 우리 지역 그래픽들인 것 같았다.)이고, 또 한쪽은 해킹은 당연한 범죄이니 당연히 주인공의 자리를 도로 빼앗아야 한다는 의견이었다. 그 사이에 올라온 추가 공지의 내용이다. 해커가 주인공이 되어서 이제까지의 기억을 잃었으니 대화가 전혀 통하질 않았고, 그가 해킹한 프로그램이 보안에 취약한 프로그램이라서 다시 주인공의 자리를 도로 빼앗아 올 능력이 되지 않으므로 프로그램 보안을 강화시키는 동안만 해커에게 주인공의 권한을 부여하는 것을 공식적으로 인정한다는 내용이었다. 오늘 밤, 주인공이 잠이 든 사이 다시 기억을 리셋 시켜서 살던 지역으로 보낼 예정이라고 한다. 우리 지역에서 엑스트라를 긴급 모집한다는 마지막 말과 함께 나의 잠도 완전히 깨 버렸다. 그렇게 다른 공지와 댓글들을 읽고 있는데, 재연에게서 전화가 왔다.

"왜."

"야! 공지 뭔 일이냐? 봤음?"

"내가 너냐? 당연히 봤지."

"그럼 엑스트라 신청했어?"

나는 이마에 손을 짚으며 말했다.

"아니, 못하지 지금은. 이미 늦었지. 6년 동안 이 순간만 기다린 그래픽들이 여기 얼마나 많은데. 그 그래픽들을 뚫고 신청이 가능할 거라고 생각하냐? 안 그래도 신청 난이도 높은데……."

재연이 잠긴 목소리로 목청을 높였다.

"야! 걔네한테도 6년이겠지만 우리한테도 6년이야! 너도 안 그런 척하면서 기다렸잖아. 접속이라도 해봐라. 난 지금 서버 터져서 기다리는 중이거든?"

"보나 마나 벌써 다 찼을 텐데."

"너처럼 포기한 그래픽들도 많을걸?"

얼마나 지났을까. 재연의 하품 소리가 들려왔다. 별 기대 없이 새로 고침을 눌렀다.

"어? 된다!"

드디어 엑스트라 명단 화면이 떴다. 재빠르게 스크롤을 내리며 남은 역할이 있는지 확인해 보기 시작했다.

"다 신청 완료인데? 이것들은 맨날 워치만 들여다보고 사나."

뒤늦게 접속한 재연이 투덜거렸다.

"네가 늦게 일어난 거라니까……."

스크롤을 아무리 내려도 보이는 건 붉은색의 '신청 완료' 글자뿐이었다. 마음이 다급해지기 시작하였다.

"이거 진짜 오랜만이네. 그래, 이 피가 끓는 느낌!"

"시끄럽…… 야! 두 자리 있어."

"몇 페이진데?"

"이천 페이지에 '핸드폰을 보면서 자전거를 타는 사람'이랑, '욕을 하면서 지나가는 남학생들 무리 3명'."

나는 재빨리 전자를 클릭했다.

"나도 찾았네. 근데 후자는 누가 봐도 내 거 아니냐?"

"응, 그래서 신청서 쓰고 있어. 너도 빨리 써. 전화 끊고."

재연은 나의 말이 끝나자마자 전화를 끊었다. 나도 신청서 적기에 열중하기 시작했다.

신청 역할이 무색할 정도로 아주 열정적이고 성실한 엑스트라의 자기소개서가 완성되었다. 내용을 간단하게 설명하자면, 어릴 때부터 자전거를 타서 누구보다 자전거가 익숙하고, 누구보다 여유롭게 탈 수 있으며, 누구보다 안전하게…… 등등 나를 어필하고, '언제 어디서든지 명령만 내려주시면'이라는 문장을 통해 시간과 장소의 제약 없이 자전거를 탈 수 있음을 부담스럽지 않는 선에서 충분히 강조했다. 나의 예상대로 그날 저녁, 합격 문자가 도착했다. 예상했던 일이었지만 현실은 예상보다 훨씬 놀랍다. 심장이 뛰는 느낌과 동시에 식은땀이 흘렀다. 계단을 하나 오른 것 같았다. 저 주인공이 얼마나 갈지는 모르겠지만, 6년 만에 다시 엑스트라가 되었다는 사실이 심장 없는 나의 가슴에 불을 지피기에는 충분했다. 워치에 메시지가 와 있어서 확인해 보았다. 역시나 재연이었다. '합격.' 단 두 글자에서 재연의 표정이 훤히 보였다. 나도 똑같이 보내자 곧바로 답장이 왔다. '굿.'

침대에 털썩 누웠다. 엑스트라가 확정된 그래픽들은 그날 밤사이에 주인공이 있는 두 번째 세상으로 전이된다. 잠이 완전히 들기 전에 옆으로 손을 뻗었다. 손끝에 한 권의 책이 잡혔다. '주인공과 모든 것'. 책의 제목이었다. 내가 매일 펼쳐보는 책으로, 주인공과 엑스트라에 대한 모든 것을 기재해놓은 책이다. 나의 지식의 원천이기도 하다. 여태까지 알고 있었던 주인공과 엑스트라에 대한 모든 지식도 전부 이 책에서 배운 것이다. 나는 엑스트라 챕터에 있는 모든 내용을 다시 복습했다. 실수가 용납되지 않는 세상에서 다시금 두들겨보는 돌다리인 셈이다. 슬슬 정신이 몽롱해졌다. 책을 덮고 눈을 감았다. 오늘 밤은 유난히 길고 어수선할 예정이다.


"완료되었습니다."

머릿속에서 울리는 AI의 목소리에 눈을 떴다. 익숙한 집이었지만 몸의 무게가 달라졌음을 느낄 수 있었다. 손가락을 움직여 손바닥과 맞닿게 했다. 따스한 온기가 느껴졌다. 그 손을 얼굴 근처로 가져갔다. 얼굴에 닿지도 않았는데 뜨거운 열기가 느껴졌다. 심장은 일정한 속도로 뛰고 있었다. 비록 이 몸도 그래픽의 기술로 만든 유사 인간의 몸이지만, 그 사실이 나에게 더욱 큰 기대와 설렘을 가져다주었다. 정말 오랜만에 다시 느껴보는 감각들이다. 그때는 그냥 좋은 느낌만이 지배적이었지만, 지금은 다르다.

이 몸에서 느껴지는 무게감처럼 나의 모든 행동에 무게감이 있다. 아저씨가 말했었다. 어른이 되면 작은 웃음 하나에도 무게가 실릴 것이라고. 그 말을 떠올리며 다시금 나의 몸을 느껴보니 장기 하나하나가 전부 무거워지는 기분이 들었다. 침대에서 벗어나 바닥에 두 발을 딛고 섰다. 언제 끝날지 모르는 위태로운 엑스트라 생활 속, 이 몸이 궁금해졌다. '내'가 누구인지 알고 싶어졌다. 물론 주인공이 되는 것도 중요하다. 하지만 심장이 뛰는 '내'가 누구인지 알기 전까지는 무엇이든지 포기하지 않겠다고 다짐했다. 굳건한 발걸음으로 방문을 열었다. 십몇 년간 홀로 살아온 나의 집에 누군가가 있다는 상상은 해본 적도 없지만, 방에 있을 때부터 알 수 없는 인기척이 느껴졌었다. 무시하고 화장실로 향했다. 거울에 비친 나의 얼굴을 자세히 뜯어보았다. 분명히 익숙한 얼굴이지만, 무언가 어색하고 달랐다. 선명한 윤곽도 없고 모든 선이 부드러웠다. 그때, 워치에서 요란한 알림음이 울렸다. 주인공이 근처에서 이동 중이니 나를 호출한다는 내용이었다. 아래에는 자전거 도로명 주소가 적혀 있었다.

"현관 앞에 자전거가 소환되었습니다. 시속 5Km로 서행하세요."

나는 곧바로 화장실에서 나와 옷을 갈아입고 현관문을 벌컥 열었다. 문을 열자마자 평범한 자전거가 보였다. 워치의 화면도 핸드폰 화면처럼 바뀌었다. 당연하게도 주인공의 앞에서는 그래픽들이 사용하는 워치의 능력들을 쓸 수 없다.

자전거도로에 도착했다. 워치로 주인공의 위치를 대충 파악했다. 아직까지는 조금 거리가 있었다. 능숙하게 자전거에 올라타 핸드폰을 보는 척하며 페달을 밟았다. 내가 원하는 속력으로 달리지는 못하지만, 엑스트라의 몸으로 타는 자전거는 자꾸만 나를 들뜨게 했다. 아무것도 내 것이 아니지만 이 기분이 내 것인 것만 같았다. 다시 그래픽이 될 때는 모든 것을 내려놓고 떠나야 하는데. 내 옆을 스쳐 가는 저 강도, 해도, 구름도, 바람도 전부 내 것이라 믿고 싶었다. 나는 지금 엑스트라다. 나는 '아직' 주인공이 아니라는 말이다. 주인공이 된다면 저 강도, 해도, 구름도, 바람도 기꺼이 내 것이 되어줄 것이다. 핸들을 세게 쥐었다. 속력이 점점 빨라지는 것을 힘겹게 다시 원상 복구시켰다. 마음속 깊이 잠들어있던 무언가가 다시 깨어나는 순간이었다.

워치의 지도에 있는 빨간 점이 나에게로 점점 가까워졌다. 살짝 긴장되었다. 주인공을 내 눈으로 직접 보는 것은 굉장히 오랜만이었기 때문이다. 주인공이 확정되면 모든 그래픽들의 워치로 주인공의 얼굴과 신상이 공개되고, 지도에는 주인공의 위치가 실시간으로 뜬다. 사생활 침해인 것 같지만 주인공으로서의 자질이 충분한지 테스트하려면 여러 가지 인물들과 상황들이 주어져야 하기 때문에 어쩔 수 없다. 시험 문제도 없이 어떻게 시험을 치를 것인가? 어차피 주인공이 되려면 모든 그래픽들이 그 항목에 동의해야 하기 때문에 사전에 동의를 얻은 것과 다름없다. 물론 나도 동의했었다. 그 동의서가 언제 적용될지는 모르겠지만 말이다. 곧이어 빨간 점과 파란 점이 눈에 띄게 가까워졌다. 마른침을 삼키며 주인공과의 거리를 좁혀 나갔다. 두 점들의 위치가 겹쳐졌다. 눈을 옆으로 살짝 굴렸다. 또래 아이가 핸드폰에 열중하며 어디론가 걸어가고 있는 모습이 눈에 들어왔다. 그 애는 나에게 눈길 한 번 주지 않았다. 주인공을 지나치자마자 자전거의 속력을 높여 빠르게 그곳을 빠져나왔다. 참았던 숨을 한 번에 내뱉었다. 자전거를 멈추고 난간에 기대 강을 멍하니 바라보았다. 방금 그 한순간을 위해 자전거를 굴렸다는 것이 굉장히 허무하게 느껴졌다. 하지만 아무 의미가 없지는 않을 것이다. 무언가 이유가 있겠지. 하지만 나에게는 그냥 해야 하는 일일뿐이다. 저 주인공이 설령 나를 봤다고 하더라도 바람 한 번 스친 사람을 존경하는 마음으로 바라봐 줄 리는 없으니 나를 위한 일도 아니다. 갑자기 기분이 언짢아졌다. 나의 억측일 수도 있겠지만, 내가 보앉을 때 저 주인공은 아무 의미 없는 테스트를 하고 있는 것 같았다. 본인을 위해서 이토록 많은 그래픽들이 활동해 주고 있는데 눈길도 한 번 주지 않고 핸드폰이나 보고 있으니 생각해 보면 괘씸하기 짝이 없다. 내가 주인공이 된다면 저것보다는 훨씬 잘할 수 있을 거라고 확신한다. 그럴 일은 없겠지만, 부디 본인이 주인공이라는 사실을 깨닫게 된다면 엑스트라들을 위해서라도 인생이라는 시험에 최선을 다해 응해주기를 바랄 뿐이다.

"집에나 갈까."

나는 자전거에 다시 올라타 재연에게 전화를 걸었다. 통화 연결음이 꽤 길게 울렸다. 끊을까, 고민하던 찰나에 통화가 연결됐다.

"왜, 나 바빠."

다급해 보이는 재연의 목소리와 긴박한 주변의 분위기로 미루어 보아 대충 어디인지 짐작이 갔다.

"게임하냐? 나 거기로 간다?"

"아, 잠깐, 잠깐. 나 혼자 아니야."

"누구 있는데?"

"야, 내 친구 온다는데 괜찮지?"

재연의 목소리가 다시 가까워졌다.

"괜찮대. 올 거면 와라."

나는 전화를 끊고 워치를 이용해 자전거를 현관 입구에 가져다 놓은 다음, 재연이 있는 피시방으로 이동했다.

"정예훈!"

나를 부르는 재연을 발견했다. 유사 인간의 재연은 제법 낯설었다. 하지만 어릴 때와 비슷해서 금세 적응할 수 있었다. 재연의 자리 근처에는 처음 보는 엑스트라 두 명이 게임에 열중하고 있었다.

"쟤네는 누구야?"

나의 물음에 재연이 설명했다.

"나랑 같이 연기할 애들. 오늘 아침에 저 녀석이 만나자고 해서 셋 다 오늘 처음 만났어. 친해져야지 연기 실수를 안 할 것 같다나 뭐라나."

재연이 맡은 배역인 '욕을 하면서 지나가는 남학생들 무리' 중 두 명을 말하는 듯했다. 단체 배역을 맡는 엑스트라들끼리는 전화번호가 공개되기 때문에 그렇게 만난 것으로 보였다.

"너희는 아직 호출 안 됐나 보네."

"넌 됐어?"

"어. 방금 자전거 타다가 왔어."

"…… 나가서 얘기해."

재연이 갑자기 뒤도 안 돌아보고 피시방을 나갔다.

"담배 냄새가 심해서."

보기와는 다르게 올곧은 면이 있는 녀석이다.

"편의점 가자. 근데 주인공 봤을 때 어땠냐?"

"어땠냐니, 잠깐 스치면서 본 게 다인데."

"아니, 딱 봤을 때 느낌이란 게 있잖아."

"굳이 비유를 하자면 너 같은?"

재연이 이해했다는 듯 고개를 끄덕였다. 대체 뭘 어떻게 이해한 거지?

"그건 그렇고, 자기소개서 어떻게 썼어? 네가 합격했다는 게 조금 의아한데."

"그렇지? 아마 나의 패기 넘치는 모습에 두 손 두 발 다 들지 않았을까 해."

화를 낼 거라는 예상 반응과는 다르게 더욱 재수 없는 반응이 나왔다.

"그러니까, 뭘 어떻게 썼냐고."

재연은 시치미를 떼고 휘파람을 불었다.

"딱 봐도 정석으로 썼을 네 머리에서는 절대로 나올 수 없는 소개서를 썼지. '제 배역에 맞게 제가 아는 모든 욕을 써 보겠습니다!'하고 그 밑에 쫙 나열했어."

나는 경악했다.

"그게 됐다고? 어떻게…….."

"나니까 되는 거지, 너 같은 애가 하면 진정성이 없어 보여서 안 될걸?"

진정성이고 뭐고 저 터무니없는 용기에 박수를 보내고 싶다.

"이게 작은 역할이었으니까 망정이지, 넌 무슨 큰일 날 짓을 그렇게 하냐?"

내가 타일러도 재연은 그 정도 융통성은 있다면서 콧방귀만 뀔 뿐이었다.

"어, 나 호출한다는데?"

재연의 워치가 울려댔다. 재연은 알림을 확인하고 재빨리 왔던 길로 뛰어갔다.

"이 근처에서 호출됐어. 아까 걔들 데리고 먼저 간다!"

나는 가려던 편의점에 들러 컵라면 하나를 먹고 집으로 돌아왔다. 그렇게 평소처럼 아무 생각 없이 도어록 비밀번호를 누르고 집에 들어갔는데, 집에 웬 낯선 엑스트라가 부엌에서 요리를 하고 있었다. 너무 놀라 아무 말도 못 하고 보고만 있었는데, 그쪽에서도 놀랄만한 상황이었는지, 크게 움찔하며 숨을 삼켰다.

"깜짝이야, 놀랐잖니."

"누, 누구신데요?"

여자는 부엌칼을 도마에 올려놓고 나를 제대로 보았다.

"저는 예훈 엑스트라님의 어머니 역할을 맡은 엑스트라예요."

여성은 자신의 이름을 대며 악수를 청했다. 주인공 시험장에서 엑스트라들 준비를 상세하게 한다는 소문을 들은 적이 있지만, 엑스트라 중에서도 정말 엑스트라인 나에게까지 어머니가 있을 줄이야. 상상도 하지 못했다. 정말 치밀하게 준비하는구나 싶었다. 그녀와 악수를 하자 이상하게도 그녀에 대한 경계심이 눈 녹듯이 사라지는 것 같았다.

"잘 부탁드려요."

"네. 잘 부탁드립니다."

그녀의 온기가 묻어있는 말투는 나에게 익숙한 편안함을 불러왔다. 나는 혼란에 빠졌다.

"점심 차려줄게, 배고프지?"

"감사합니다."

얼떨결에 승낙해 버렸다. 나는 말을 정정하기 위해 그녀를 불렀다.

"저기, 괜찮아요. 방금 라면 먹고 왔어요."

그녀는 나를 향해 빙그레 웃으며 말했다.

"그래도 밥은 드셔야죠, 예훈 씨."

순간 번뜩하고 나의 머릿속에 스쳐 지나간 엑스트라가 있었다.

"설마…… 어머니?"

그녀가 나에게로 와 나의 어깨를 토닥여주셨다.

"오랜만이네, 예훈아. 잘 지냈어?"

내가 서브 엑스트라였을 시절, 그때도 나의 어머니 역할을 맡아주셨던 분이시다. 나를 부르실 때마다 습관처럼 하셨던 말버릇 때문에 알아볼 수 있었다. 예훈 씨, 예훈 씨 하며 나를 달래시던 어머니의 모습이 그제야 선명하게 떠올랐다.

"죄송해요, 안부 전화 한 번 못 드리고."

"뭘, 전화번호도 모르잖아."

'어머니'는 내가 그녀를 부르는 애칭이다. 그래픽들에게 어머니, 아버지는 존재하지 않는다. 굳이 말하자면 우리를 생성시킨 시스템이 우리들의 어머니, 아버지인 셈이다.

"점심 준비할 테니 기다려."

어머니의 당당한 미소를 좋아했다. 다행히도 어머니의 미소는 변하지 않았다. 하지만 나는 아직도 무엇이 변하는 것인지, 변하지 않는 것인지를 구별해 내지 못하겠다. 아저씨가 변한 것처럼 어머니도 언젠가는 변할까? 갑자기 머리가 띵해졌다. 요즘 들어 감정의 변화가 잦다. 생각도 배로 많아진 느낌이다. 어머니를 뵈어서 들떠있던 기분이 한순간에 무너져내렸다. 신경이 곤두서고 나약해진 느낌도 든다. 이렇게 변화한 나를 증오할 때도 있다. 남의 변화가 두렵고, 나의 변화가 무섭다. 그래서 더욱 누군가를 만나지 않는 것 같기도 하다. 그렇게 내 안에 영원히 갇히게 되면 어떡하지, 매일 하는 걱정이기도 하다. 갑자기 어머니의 뒷모습이 어색하게 느껴졌다. 어머니에게 다가가 행동을 지켜보았다. 씻어져 있는 시금치를 발견하고 괜한 말을 꺼냈다.

"변하셨네요. 시금치 반찬은 안 하셨잖아요."

"왜, 싫어?"

당연하죠, 나는 고개를 끄덕거렸다. 어머니는 나를 보지도 않고 말을 이으셨다.

"그래. 변했지. 나도 예전에는 안 먹었거든. 하지만 이 변화를 좋게 받아들이고 있어."

"왜요?"

어머니는 시금치를 끓는 물에 넣으셨다.

"좋은 변화니까. 시금치는 몸에 좋아."

나 못지않게 시금치를 싫어하셨던 어머니가 아무렇지 않게 시금치를 만지시는 모습에 기분이 묘하게 억울해졌다.

"전 싫어요."

"…… 감탄고토라는 말 아니?"

"네. 달면 삼키고 쓰면 뱉는다는 뜻이잖아요."

"맞아, 주로 안 좋은 뜻으로 많이 쓰이는 말이지. 하지만 네 나이 때에는 그래도 된다고 생각해."

어머니가 그다음으로 하신 말이다.

"자유롭게 감탄고토해 봐."

역설적이라고 생각했다. 내가 뭐라고 그렇게 행동해도 된다고 말씀하신 걸까. 나는 한낱 어리석은 그래픽일 뿐인데.

"세상에 변하지 않는 건 없지만, 너에게 있어 변하는 것이 싫으면 뱉어버리고, 변하지 않는 것에 네 사랑을 마음껏 줘."

어머니는 예전에도 뼈가 있는 듯한 말을 자주 하셨다. 이번에도 마찬가지이다. 내 생각이 어머니에게 그대로 읽힌 것만 같았다.

"그렇게 '변하지 않는 존재'만 네 곁에 두다 보면 너도 알지 못했던 너의 깊은 곳에서 무엇과도 바꿀 수 없는 가치 있는 것을 느낄 수 있을 거야. 넌 아직 어리잖아."

나를 보는 어머니의 고상한 눈빛에서 무시무시한 통찰력을 느꼈다.

"하지만 엄마가 해 주는 반찬은 달든 쓰든 삼켜라."

언제부터인가 식탁에 차례대로 놓여있는 반찬들이 눈에 들어왔다.

"반찬뿐만 아니라 너 자신도 마찬가지란다."

"이해했어요, 어머니."

몇 개월 동안의 고민이 허무하게 느껴졌다. 군말 없이 식탁에 수저를 놓기 시작했다. 곧이어 익숙한 냄새의 한 상이 차려졌다. 나는 맞은편 자리에 앉았다.

"어서 먹어."

나는 별생각 없이 물었다.

"어머니, 어머니는 저를 선택하신 거예요?"

어머니는 장난스러운 표정으로 수저를 드셨다.

"미안하지만, 무작위로 네가 뽑힌 거야."

식사를 하시는 모습을 보고 나도 수저를 들었다. 어릴 때 먹던 반찬 맛이 조금도 변하지 않았다.

"나는 너를 선택한 적이 없어. 한 엑스트라의 '어머니' 역할만 선택했을 뿐이지. 신기한 인연이지 않니?"

"정말로요."

어머니는 아침에 눈을 떴을 때 낯익은 방의 모습이 보여서 놀랐다는 말도 덧붙이셨다.

"어머니, 그럼 아버지는요?"

"내가 듣기로는 아버지 배역을 맡은 엑스트라는 없다고 들었는데."

예전 엑스트라였을 때의 아버지가 생각이 났다. 그분도 어머니처럼 좋은 분이셨지.

"그것보다, 제 어머니셨을 때 이후로는 저처럼 아무 배역도 못 맡으셨겠네요?"

"우리뿐만 아니라 이 지역 그래픽들 다 그랬지. 그래서 이번에 정말 치열했지만, 그때가 더욱 치열했던 것으로 기억하는데…… 그때 너와 네 친구가 온 국민을 놀라게 했었던 거 기억나니?"

겨우 10살짜리였던 아이들이 서브 엑스트라 자리를 차지했다는 사실이 많은 이들을 놀라게 만들어 언론에도 보도되는 둥 난리도 아니었다. 그 와중에 재연은 언론사 인터뷰 때문에 TV프로그램 시간을 놓쳤다며 기자들을 저주했었다.

"네 친구 이름이 뭐였었지?"

"재연이요, 최재연."

"그래, 그 애랑은 여전히 친해?"

"물론이죠. 그 애도 지금 엑스트라예요."

"잘 됐네."

어머니는 재연도 몹시 좋아하셨다. 재연과 나는 일상처럼 서로의 집을 들락거렸다. 지금까지 재연과의 관계를 유지할 수 있었던 것은 바로 '그 일' 때문이다.

# 3

그전까지만 해도 나와 재연은 서로 모르던 사이였다. 같이 언론에 보도되고, 인터뷰도 하다 보니 자연스럽게 친해지게 되었다. 재연의 첫인상은 거친 데다가 고집불통이었으며 제멋대로였다. 나는 그때 당시 재연과 가까워지고 싶었다. 그 이유는 지금과는 많이 다르지만. 어른들 말이라면 군말 없이 따르던 내가 저런 불량한 아이 옆에 있으면 더욱 돋보일 것 같았기 때문이다. 내가 처음 재연에게 말을 걸었을 때만 해도 모든 것이 순조로웠다. 재연을 보는 어른들의 시선과 나를 보는 시선들의 온도 차이가 뼛속까지 느껴졌다. 그래서 더욱 재연을 이용하는 것에 죄책감을 느끼지 못했다. 어느 날에는 재연의 집에서 실수로 화분을 깨뜨린 적이 있는데, 남의 집 화분을 깨뜨렸다는 죄책감보다 내 이미지에 흠집이 나는 것이 너무나 싫었다. 그 탓에 깨진 화분을 모른 척하고 화장실로 숨은 적이 있다. 아마 재연은 내가 깬 것이라는 걸 알고 있었을 것이다. 하지만 그 애는 아무 말도 하지 않았고, 그것을 본 재연의 아버지는 당연하다는 듯이 재연을 혼냈다. 그것을 듣고 있던 나는 한 편으로는 안심하면서도 가슴이 답답해지는 것을 느꼈다. 그 일은 지금의 나와 재연을 만들어 준 가장 중요한 사건이었다. 그 일이 있고 난 후 재연은 전보다 더 말을 듣지 않았다. 어떨 때는 주인공 앞에 등장해야 할 타이밍에 어디론가 도망을 가 버려서 주변 엑스트라들을 애먹인 적도 있었다. 재연이 버린 기회들은 모조리 다 내 것이 되었고, 나는 남들에게 더할 나위 없이 착한 아이가 되어 있었다. 그때 나는 아마 행복했을 것이다. 나 혼자 재연의 대사까지 도맡았을 때도, 재연의 부모님 역할을 맡은 엑스트라들의 말동무가 되어 줬을 때도, 주변 엑스트라들에게 재연의 부재에 대해 설명할 때도 ……. 그런 내 앞에 이틀 만에 나타난 재연은 무척이나 자유로워 보였다. 왠지 모르게 철도 조금 든 것 같았다. 미세하게 맑아진 재연의 공기에 주변 사람들은 재연을 환영해 주었다. 그 순간 나는 어른들의 시선, 친구와의 우정 둘 다 얻지 못했다는 것을 깨달았다. 엑스트라들에게 둘러싸인 재연과 눈이 마주쳤다. 재연은 대수롭지 않다는 듯 고개를 돌려버렸다. 나는 순간적인 감정 때문에 밖으로 뛰쳐나갔다. 주인공이 오기 십 분 전이었지만, 상관하지 않았다. 사람들이 절대로 찾아오지 못할 것 같은 골목길로 숨어들었다. 그리고 그곳에 주저앉아 울면서 반성했다. 재연에게 너무나 미안했다.

"다 울었냐?"

낯익은 목소리에 고개를 들었다. 언제부터인가 재연이 내 앞에서 따분하다는 표정으로 나를 내려다보고 있었다. 나는 민망해져서 괜히 재연에게 화를 냈다.

"뭐야, 너! 왜 여기 있어?"

"따라왔는데 뭐!"

나보다 재연이 더욱 민망해하는 눈치였다. 덕분에 입을 떼기가 더욱 어려워졌다.

"미안해."

내가 말하자 재연은 전혀 예상하지 못한 말이라는 듯 눈을 크게 떴다.

"뭐가."

"화분 깨고도 모른 척한 거. 반성하고 있어."

재연의 반응은 뜬금없었다.

"화분? 그거 네가 깬 거였냐? 난 바람이 깬 줄 알았는데."

"뭐?"

당연히 알고 있을 거라고 생각했는데, 특이한 애였다.

"그…… 근데 왜 그렇게 덤덤해? 네가 나 대신 혼난 거잖아!"

재연은 나의 나무람이 무색하게도 그냥 일상적인 대화를 하듯이 했다.

"네가 깼든, 바람이 깼든 그게 중요한 게 아니니까. 그 엑스트라 는 그냥 내가 싫은 거야. 혼나는 건 뭐, 익숙하니까 괜찮아."

놀랍게도 정말 괜찮은 것 같은 표정이었다. 재연이 주머니에서 초콜릿을 꺼내 먹었다. 단 걸 먹으면 모든 게 용서된다나, 뭐라 나. 그때부터 재연에 대한 호기심이 생겼다. 어떤 목적을 이루기 위해서가 아니라, 순수하게.

"…… 그래도 그 사람이 널 싫어해서 그런 건 아닐 거야. 우리 어머니가 그러셨어. 부모 역할을 맡으려면 자식을 올바른 어른으 로 성장시킬 수 있는 자질이 있는지에 대한 테스트를 통과해야 한다고 했거든."

재연은 콧방귀를 뀌며 멀리 바라보았다.

"몰라. 그건 됐고, 너 나한테 할 말 없어?"

"미안해."

"그거 말고! 내가 그런 시답잖은 것 때문에 따라온 줄 알아?"

"그럼 뭔데?"

재연은 꼭 자기 입으로 말해야 하냐는 듯 입술을 이리저리 움직 였다.

"내가 왜 더 말썽 피우고 말을 안 들었는지 알아? 네가 하도 멍청이처럼 고분고분하길래 정신 차리라고 그런 거야! 그 덕분에 아저씨가 올 시간 얼마 안 남았는데도 여기서 쉴 수 있는 거잖아. 그러니까……."

"고마워."

재연은 무시했지만 내심 그 말이 듣고 싶었던 모양이었다. 그냥 자유로운 영혼인 줄만 알았는데 보기보다 속이 깊구나, 생각했다.

"그럼 뭐, 이제 들어가지. 나야 땡땡이쳐도 그러려니 하겠지만 너는 오만소리 들어먹을 수 있잖아."

"걱정은 고맙지만, 아저씨가 들어갈 때까지 여기에 있을 거야."

"누가 걱정한대?"

나는 비장한 표정으로 주변을 살폈다. 어느덧 해는 완전히 져서 하늘이 거뭇거뭇 해져 있었다.

"늦게 배운 도둑질이 더 재밌다더니, 반항하려고 그러는 거냐?"

"약간의 일탈이지. 그리고 '늦게 배운 도둑이 날 새는 줄 모른다'거든?"

"그게 그 말이지."

한껏 풀어진 분위기에 편안한 마음으로 있을 수 있었다.

"근데 너 말이야, 이틀 동안 어디에서 잔 거야?"

"아, 엑스트라 중에 아는 형이 있는데 그 형 집에서……."

# 4

"와, 애들이다!"

어린 여자아이의 목소리에 우리는 동시에 고개를 돌렸다. 몸집이 작은 아이가 혼자서 나와 재연을 호기심 가득한 눈으로 쳐다보았다.

"쟤 뭐야? 알아?"

"아니. 몰라."

"안녕! 너희는 몇 살이야?"

아이의 목소리가 커서 숨어있던 우리에게는 치명적인 상황이었다.

"쉿, 쉿!"

"아저씨 없지? 야, 조용히 해."

고개를 내밀어 주인공이 없다는 것을 확인하고 나서 아이에게 조용히 말했다.

"우리는 10살이야. 우리가 지금 사정이 있어서 숨어있거든? 그러니까 조금만 조용히 말해줄래?"

아이는 나의 진지한 말투에 동기화된 듯 조용히 고개를 끄덕이

고는 말했다.

"범죄자야?"

"뭐? 그런 건 절대로 아니……."

"야, 얘 같이 생긴 범죄자 본 적 있냐?"

"넌 좀 가만히 있어."

재연이 웃음이 터진 채 헛기침을 했다.

"부모님은 어디 있어?"

"저어기 있어."

아이가 가리킨 곳이 정확히 어디인지는 보이지 않았지만 대충 위치만 봐 두었다.

"같이 가줄 테니까 가자."

내가 잠깐 생각하다가 두 손을 내밀자 아이가 덥석 잡았다. 하지만 이내 고개를 저으며 거절했다.

"싫어. 나 내 친구들 처음 봐! 조금만 같이 놀자."

"너도 10살이야?"

"응, 이름은 진이서야. 너희는?"

동갑내기 친구를 너무 아이처럼 대했다는 것이 조금 무안해졌다. 이서의 간절한 눈빛에 놀자는 제안을 마지못해 승낙해 버렸다. 이서가 손을 놓지 않아서 내가 먼저 놓았다.

"알았어. 하지만 우리도 곧 가야 해서 조금만 얘기하자. 나는 정예훈이고, 여기는 최재연이라고 해."

"왜 네 마음대로 이름을 밝혀? 요즘에 애들 끌어들여서 막 납치하고 그러는 거 몰라?"

생각보다 경계심이 강한 재연이었다.

"나 그런 거 안 해. 걱정하지 마."

"안 하기는."

이서는 '우리 동생보다 겁이 많네.'라며 콧방귀를 뀌었다.

"진짜 이 꼬맹이가!"

이서는 터진 웃음을 전혀 숨기려고 하지 않았다. 청아한 웃음소리가 골목에 울려 퍼졌다.

"근데 너희 왜 숨어있는지 알려주면 안 돼? 궁금해."

"엄밀히 말하자면 아저씨에 대한 반항이라고 할 수 있지."

재연이 진지하게 분위기를 잡는 시늉을 했다.

"너희도 주연을 싫어해?"

이서의 눈빛이 우리를 발견했을 때처럼 빛났다. 주인공을 '주연'으로 부르는 듯했다.

"좋아하지도, 싫어하지도 않아. 그냥 아저씨를 보좌하는 게 우리의 일이니까."

나의 말에 이서는 실망한 표정으로 눈썹을 내리깔았다.

"나는 주연이 싫어! 주연 때문에 다들 싸우잖아. 사이좋게 지내는 게 좋은데……"

"태평한 소리. 그만큼 그 자리가 주는 힘이 얼마나 큰지 모르는 거야?"

"왜 이렇게 나대."

이서의 눈치를 살피며 재연을 말렸다. 하지만 이서는 보기보다 굳건했다.

"다들 주연이 되어야 한다고 하지만 나는 그렇지 않아도 된다고 생각해. 억지로 엑스트라가 되긴 했지만, 사실 주연 얼굴도 잘 모르고 그냥 엄마, 아빠, 동생이라고 불리는 엑스트라들이랑 있는 게 좋아."

나는 놀랐다. 처음 보는 아이의 한 마디에 지금까지의 내 인생에 처음으로 의문이 생겼기 때문이다. 왜 나는 주인공이 되려고 애쓰는가? 10살 인생 처음으로 심오한 고민을 했다. 사실상 아무도 나에게 주인공이 되라고 강요하지 않았지만, 어린 나이임에도 불구하고 나는 남을 위한 삶을 살기 싫었다. 나에게 주인공의 자리는 나의 욕망과 미래, 그 자체이다. 아무도 나에게 강요하지 않았다고 해도, 주인공의 자리가 존재한다는 것이 내가 주인공이 되어야 하는 이유이다. 그래서 나는 내 뜻을 절대로 굽힐 수 없다. 이것이 내가 내린 정론이다.

"이서야! 어딨어?"

누군가의 목소리에 이서는 곧바로 소리가 나는 쪽으로 몸을 기울였다.

"엄마다! 나 이제 가야 해. 잘 있어, 얘들아!"

그 후로도 밖에서 이서를 여러 번 만났다. 시간이 흐르면서 점차 그 횟수가 줄고 더 이상 이서를 만날 수 없었지만, 작별 인사도 제대로 끝내지 못한 채 바람처럼 왔다 간 '이서'라는 아이는 아직까지도 생생하게 내 기억 속에 자리 잡고 있다.

"밥은 맛있니?"

어머니가 다정한 분위기로 내게 물으셨다.

"말해 뭐해요."

나는 시금치도 막상 먹으니 괜찮다며 열심히 삼켰다. 회상을 마저 마무리하자면, 우리는 놀이터에 우리의 부재를 확인하고 그냥 집으로 향하는 아저씨를 보고 하이파이브를 한 뒤 각자의 집으로 돌아갔다. 호되게 혼날 것을 각오하고 현관문을 열었다. 하지만 내 예상과는 전혀 다른 풍경이 펼쳐져 있었다. 밖에 나갈 채비를 마치신 어머니, 아버지와 눈이 마주친 것이었다.

"예훈아!"

어머니는 나를 보자마자 끌어안으셨다.

"이 녀석아! 30분이 지나도 안 들어오길래 걱정했다."

아버지는 꿀밤을 때리시면서 안도하셨다.

"주동 인물님과 대화가 길어졌었니?"

나를 바라보는 사랑스러운 부모님의 눈빛에 도저히 재연과 땡땡이를 쳤다는 진실을 말할 수가 없었다.

"네, 맞아요."

그 후로 다시는 땡땡이를 치지 않았지만, 그렇다고 예전처럼 누군가를 이용하거나 남에게 보이는 나의 이미지에 집착하지 않았다. 재연처럼, 자유롭게 살았다. 그것이 내가 재연과 친해지고 싶었던 진짜 이유였다.

"아, 어머니. 전화번호 주세요. 만약에 또 못 보더라도 연락할게요. 꼭 받으셔야 해요?"

어머니는 식사를 끝내셨는지 수저를 내려놓으시며 워치에 전화번호를 눌러주셨다.

"알았다. 알았어."

연락처의 이름을 보니 '영원한 나의 버팀목'이라고 저장되어 있었다.


그로부터 며칠이 지났다. 딱히 분량이 없는 엑스트라들은 같은 엑스트라라도 삶이 확연히 다르다. 주요 엑스트라들은 지금쯤 주인공의 학교에 배치되어 있겠지. 나는 며칠째 호출되지 않고 있다. 하루 종일 하는 거라곤 자기, 먹기, 워치 들여다보기 밖에 없다. 이런 생활이 무슨 의미가 있겠냐마는, 그저 주어진 나의 의무에 최선을 다할 뿐이다. 나갈 일이 없을 때도 가끔 심심풀이로 일기예보를 시청하고는 한다. 일기예보에 따르면, 오늘은 전국에 비가 올 예정이었다. 창밖을 보니 하늘이 우중충했다. 나의 낡은 취미 하나가 떠올랐다. 책상 서랍을 열어 먼지가 쌓인 공책 하나를 꺼냈다. 어릴 때부터 그린 풍경화들이 한 장도 빠짐없이 채워져 있었다. 실력이 좋은지는 잘 모르겠지만 딱히 염두에 두지 않았다. 그림을 그리는 것 자체가 나의 영감이었다. 오랜만에 그림이 그리고 싶어졌다. 맨 마지막 장은 비어있었다. 하지만 풍경을 보았던 어린 시절의 나의 눈과 지금 풍경을 보는 나의 눈에 차이점을 두기 위해 새로운 공책을 꺼냈다. 예전 공책은 다시 서랍에 넣어두었다. 여기까지는 나의 어린 풍경이다, 생각하면서. 새 공책을 펼쳤다. 여기서부터는 나의 성장하는 풍경이 그려질 것이다. 책상 위에 아무렇게나 놓여있는 헤드셋을 집어 들고 두 눈을 감았다. 헤드셋 안에 갇혀 있는 듯한 느낌이 마음에 들었다. 흘러나오는 음악은 나에게 내려진 지령과 같았다. 내가 필요한 주인공에게로 갈 수 있는 단 하나의 수단. 들리지 않는 외부의 소음까지, 완벽했다. 정교하게 깎은 연필로 빈 공간을 채워나갔다. 비안개를 표현하기 위해 손가락으로 연필선을 문질렀다. 하늘, 구름, 건물들이 희미해졌다. 비 오는 풍경을 그리려면 많은 것을 포기해야 한다는 것을 깨달았다. 하지만 그래도 나는 비가 오는 창밖을 그릴 수 있다. 아직 완성이 안 된 그림을 보며 연필을 만지작거리고 있었다.

"띠리링."

귀를 찌르는 호출 알람이 들려왔다.

"귀하를 호출합니다."

AI가 알람을 마저 읽어주기도 전에 눈으로 빠르게 내용을 훑었다. 주인공이 내일 학교에서 볼 교육 영상에 출연할 학생으로 나와 달라는 내용이었다. 나를 호출하는 것으로 보아 그렇게 중요한 영상은 아닌 것 같았다. 미완성 그림을 책상에 올려두고 스튜디오로 이동했다.

"안녕하세요."

"안녕하세요, 이쪽으로 오세요."

관계자로 보이는 엑스트라와 함께 스튜디오 안으로 들어갔다.

"저기 있는 교복을 입고 대기해 주세요."

"네."

관계자가 떠나고, 내가 입을 교복을 펼쳐보았다. 내가 만약 주인공이었다면 지금쯤 이런 교복을 입고 엑스트라들과 함께 학교에 다니고 있겠지. 이 세상에 대해 정확히 아는 것 하나 없이 그저 나의 내일을 위해서 살아가겠지. 보여주기 위해서 발버둥 치는 누구들과는 다르게. 나는 분명히 한 단계씩 나아가고 있다. 하지만 걱정이 되는 것도 사실이다. 확신을 할 수가 없다. 나의 한 단계가 올바른 방향의 단계인지. 일단 그것부터가 난제이다. 정말 다음 단계가 있기는 한 걸까, 의심도 든다. 나는 처분당하고 싶지 않다. 정확히는 아무 의미 없는 100년을 살다가 처분당하고 싶지 않다. 주인공을 위한 삶이 싫다. 결코 시간이 많다고 생각하지 않는다. 어렵게, 힘들게 온 기회가 한 번에 날아가 버릴지는 아무도 모른다. 그러므로 나는 한 번이라도 보이기 위해서 온몸으로 뛰어다녀야만 한다. 교복을 입고 대기실 안의 거울을 보았다. 거울 속의 나에게 속삭였다.

"많이 온 거야. 일단 지금은 이 자리를 지키는 것이 가장 중요해. 언젠가는 메인 엑스트라가 될 수 있어. 충분히. 뭐든지 실수하면 끝장이야. 한번 해 봤으니까, 또 할 수 있어."

어쩌면 이 촬영은 잠깐이라도 주인공의 눈에 띌 수 있는 기회일지도 모른다. 의자에 앉아서 대본을 펼쳤다. 학생이 질문을 하면 전문 강사가 답변을 하는 형식이었다. 간단하게 대사를 외우고 얼마 뒤, 촬영장으로 이동하자 피디로 보이는 엑스트라가 나를 반겼다.

"바로 촬영 시작해도 되겠죠?"

나는 전문 강사 역할을 맡은 엑스트라와 미리 인사를 나누며 촬영이 시작되기를 기다렸다.

주인공만을 위한 나와 상대의 연기 속의 연기가 시작되었다.

# 5

　촬영을 끝내고 곧장 집으로 왔다. 촬영은 속전속결로 끝이 났
다. 창밖은 이미 빗방울들로 가득 차 있었다. 어쩔 수 없이 그림
을 마무리했다. 공책을 내 눈높이에 맞게 높이 들었다. 색감이
없는 이 그림이 지극히 객관적이라고 생각했다. 하지만 그와 동
시에, 누군가에게는 이 그림도 나의 어린 그림일까, 생각하며 혼
자 심란해졌다. 아직 갈 길이 멀기만 한 것 같아서 마음이 불편
해졌다. 공책을 덮어 서랍에 넣었다. 색은 칠하지 않았다. 아직
끝나지 않은 나의 성장통을 표현하기 위해서였다. 나는 외투를
걸치고 방 밖으로 나갔다. 어두운 거실에 빗소리만 스산하게 울
려 퍼졌다. 어머니는 잠깐 나가신 모양이었다. 우산을 집어 들고
현관문을 열었다. 서점에 가려는 길이었다. 오랜만에 우산에 떨
어지는 빗방울의 무게를 느끼고 싶었다. 길거리에는 개미 한 마

리 없었다. 워치로 이동하는 것이 더 익숙하고 자연스러운 세상이라서 그렇다. 서늘한 바람에 귀가 시렸다. 금세 도착한 서점 안으로 들어갔다. 기분을 좋게 만드는 오래된 책들의 냄새가 났다. 딸랑, 하고 울린 종소리에 서점 주인 할머니께서 내게 눈인사를 하셨다. 고개를 살짝 숙였다가 내가 자주 보는 책들이 모여 있는 곳으로 걸음을 옮겼다. 나는 책 편식이 심한 편은 아니지만 주로 소설책을 좋아하고 많이 본다. 베스트셀러 책들 중 보지 못한 책들을 몇 개 집어 들고 있었는데, 갑자기 워치에서 무시할 수 없을 정도의 강한 진동이 느껴졌다. 머리까지 지끈거렸다. 신경질적으로 워치를 켰다. '경고' 글자가 큼지막하게 쓰여있었다. 이번에는 AI가 읽어주지 않아서 직접 내용을 읽어 내려갔다.
'반경 3m 이내에 주동 인물의 데이터가 감지되었습니다. 거리를 유지하세요.'
주인공이 내 주변에 있으니 그의 눈에 띄지 말라는 경고였다. 분량 없는 엑스트라는 주인공 가까이에 갈 수도 없나, 처음 안 사실이었다. '주인공과 모든 것' 책에도 기재되어 있지 않은 상황이었다. 취급이 조금 너무하다 싶었지만, 나의 위치를 생각해 보면 그렇게 너무한 취급도 아니었다. 주인공의 위치를 파악하기 위해 주변을 살폈다.
"이게 맞나?"
소리가 난 벽 뒤로 인기척 없이 다가갔다. 고개를 내밀어보니 주인공이 여러 가지 문제집을 고르고 있는 모습이 보였다. 저번에 만났을 때와는 사뭇 다른 분위기였다. 워치의 명령에 따르기 위해 조용히 그 애와 거리를 두었다. 일부만 보고 그 그래픽의 전부를 넘겨짚지 말자고 생각하며 기꺼이 서점을 나가주었다.

아차, 지갑을 놓고 왔다.
"큰일 났네."

집으로 돌아온 지 몇 시간이 지난 지금, 서점에 지갑을 놓고 왔다는 중대 사항을 떠올리게 되었다. 데이터라는 화폐를 사용했던 그래픽 때와 지금 사용하는 화폐의 다른 점은, 손으로 직접 만질 수 있는 지폐와 동전으로 이루어져 있다는 점이다. 나는 워치를 이용해 순식간에 서점으로 이동했다. 해는 달의 뒤로 완전히 모습을 감췄다. 깜빡하고 우산을 놓고 오는 바람에 다급하게 불 켜진 서점 안으로 들어갔다. 주인 할머니께 지갑에 대한 행방을 물었지만, 할머니의 대답은 부정적이었다. 나는 속으로 애원하며 낮에 머물러 있었던 소설 베스트셀러 코너로 갔다. 코너를 돌자마자 순간적으로 숨을 삼켰다. 아무도 없는 줄만 알았던 고요한 서점 안에 한 소녀가 책 한 권을 들고 지긋이 한 장 한 장 넘겨보고 있었기 때문이었다. 소녀는 종이 한 장도 허투루 넘기는 법 없이 소중한 물건을 대하듯이 했다. 그 옆의 책 더미 사이로 내 지갑이 보였지만, 나는 반사적으로 고개를 돌려 거들떠보지도 않는 문제집만 만지작거렸다. 왠지 모르게 소녀의 시간을 방해하고 싶지 않아서였다. 소녀는 도서관이라도 온 마냥 의자에 앉아서 책을 감상하기 시작했다. 나는 언제부터인가 문제집을 고르는 시늉도 하지 않고 있었다. 소녀의 묘한 부드러움과 어색하지 않은 웃음을 눈에 진득하게 담았다. 이런 아이는 한번 보면 잊어버리지 않겠다, 뜬금없이 스쳐 지나간 생각이었다. 내가 한참을 쳐다보아도 기척을 느끼지 못하는 눈치였다. 조금만 더 있자는 생각으로 들고 있던 문제집을 몇 장 넘겨보았다. 엑스트라가 된 김에 주인공이 배우는 것들을 한 번 배워 볼까 했던 마음이 흔적도 없이 사라지게 되는 순간이었다. 일말의 망설임 없이 책을 덮고 지갑을 찾으러 가려고 했다. 갑자기 소녀가 본인 옆의 책 더미를 빤히 쳐다보더니 나의 지갑을 발견하고 주인 할머니께 가져다드리려고 했다.

"그거!"

소녀가 놀란 눈으로 내 쪽을 보았다.

"그 지갑 제 거예요."

소녀에게 다가갈 때마다 얼굴이 선명하게 보였다. 측면 얼굴과는 또 다른 분위기였다. 그리고 무엇보다…… 낯이 익었다.

"감사합니다."

"네……."

기분 탓일지 모르겠지만, 나를 보는 소녀의 눈빛도 마냥 낯선 사람을 보는 눈빛이 아니었다.

지갑을 돌려받고 서점을 나왔다. 어느새 빗방울은 점점 가늘어져서 우산이 필요 없을 정도가 되었다. 이슬비를 맞으며 지갑을 확인했다. 다행히 내용물은 그대로였다. 미약한 빛을 내려주는 가로등들 사이를 지나며 자연스레 소녀를 생각했다. 소녀가 낯익은 이유가 무엇일까 한참을 고민하다가 무언가 번뜩 떠올랐다. 주머니에서 워치를 꺼내 엑스트라 명단으로 들어갔다. 증명사진을 걸어놓는 메인 엑스트라들의 얼굴을 한 명 한 명 살펴보았다. 세 번 정도 넘겼을까, 손가락이 저절로 멈칫하는 것을 느꼈다. 손가락 끝에 소녀의 얼굴이 있었다. 긴장한 듯 어색한 미소만이 존재하는 증명사진이었다. 하지만 사진 아래로 더욱 깜짝 놀랄만한 것이 적혀 있었다.

'메인 엑스트라 [진이서]'

소녀의 이름을 읽자마자 모든 상황이 단번에 이해되었다. 오래전부터 머릿속 어딘가에 묻혀있었던 소녀에 대한 기억이 개화하는 꽃처럼 한 잎 한 잎 피어났다. 소녀의 사진을 다시 보니 얼굴이 거의 변하지 않았다는 것을 알 수 있었다. 어릴 때 우연히 만난 이서라는 아이는 생기 넘치는 아이였고, 유별나게 주인공을 싫어했다. 그런 아이가 메인 엑스트라가 되었다니. 세상의 시스템에 결국 순응하는 것 같아서 조금 안타까운 마음이 들었다.

나를 알아봤으려나?

설령 알아보았다 해도 그건 아마 주인공을 위해 만들어진 교육 영상 때문일 것이다. 발걸음을 재촉하며 신속하게 집으로 돌아왔다. 먼저 오신 어머니께서 나를 반겨주셨다.

# 6

"으악!"

재연이 외마디 괴성을 질렀다. 습관처럼 해 온 본인만의 긴장 해소법이다. 어제 이서를 만난 일이 있고 나서, 오늘은 재연을 만났다. 나라도 평정심을 유지하려 했건만, 재연이 옆에서 괴상한 자세로 그네를 타는 바람에 나까지 괜히 어수선해졌다.

"정신 차려. 오버야."

밤마다 아저씨와 함께하던 놀이터에 다 큰 애들이 그네 두 자리를 떡하니 차지하고 있었다. 몇몇 꼬마들이 그네를 타고 싶어 하는 눈치를 보내기도 했지만, 지금 나에게는 아무것도 눈에 들어오지 않았다.

"야, 야! 몇 분 남았냐?"

재연이 재촉하며 물었다. 손에 쥐고 있던 워치를 켜 시간을 확인했다. 5분 뒤면 몇 시간 전에 바뀐 새로운 주인공의 엑스트라를 신청할 수 있다. 몇 시간 전, 주인공이 바뀌었다는 공지를 확인 했을 때는 솔직히 절망적이었다. 전 주인공이 해킹으로 뚫었던 프로그램을 시스템 측에서 보안을 강화하는 데 거의 성공하여 사실상 지금 주인공이 우리 지역의 마지막 주인공일 수 있다는 추측 때문이었다. 지금의 자리마저 없어지지 않을까 하는 부정적 인 생각을 했을 때나 절망적이겠지만, 긍정적으로 생각하기로 했다. 오히려 메인 엑스트라 자리를 노려볼 수 있는 좋은 기회이지 않을까 하고.

"4분."

재연이 그네에서 내려와 스트레칭을 했다.

"내가 메인 엑스트라가 되면 다 끝났지 뭐. 말 안 해도 주인공 자리 나한테 바치게 될걸?"

그리고 만약에, 새로운 주인공이 진짜 주인공이 되기 전에 **그 자리를 빼앗는다면**…….

"안 그러냐?"

"뭐?"

재연이 못마땅하다는 듯 귀를 후볐다.

"귓구멍 좀 열고 다녀!"

순간적으로 든 악한 생각에 놀랐다. 지금 나에게는 그 어떠한 말도 귀에 들어오지 않았다. 워치를 두드려 시간을 확인했다.

"3분……."

"근데 걔 이름 뭐라고 했었냐?"

"누구?"

"주인 될 애 말이야."

나는 워치에 시선을 고정한 채 말했다.

"진이서."

재연은 머리를 긁적거리며 이름을 되뇌었다.

"다시 들어도 전혀 모르겠는데. 진짜 만난 적이 있다고?"

나는 재연을 보며 고개를 끄덕였다. 어제 새벽, 반쯤 감은 눈으로 끈질기게 울려대는 워치를 확인했다. 첫 번째로 주인공이 바뀌었다는 내용에 놀랐고, 그 주인공이 이서라는 사실에 잠이 완전히 깨 버렸다. 주인공이 바뀐 이유는 '어떠한 감정' 때문이었다. 정말 그렇게만 나와 있어 정확히 무슨 감정 때문인지는 알 수 없었지만, 감정에 쉽게 휘둘리는 전 주인공의 성격이 본인을 낭떠러지로 내몬 것 같다. 공지에 적힌 내용을 토대로 해석한 것이지만 아무리 생각해도 추상적이기 짝이 없었다.

"떴다!"

사이트에 접속하자마자 메인 엑스트라 신청 버튼을 누르고 어젯밤 미리 생각해 두었던 자기소개서 내용을 빠르게 적어 내려갔다. 메인 엑스트라 배역은 비교적 급하게 신청하지 않아도 된다. 주인공의 정서에 직접적인 영향을 미칠 수 있는 중요한 엑스트라들이기 때문에 개별 면접을 통해 선출되기 때문이다. 서브 엑스트라들도 마찬가지이다. 재연을 돌아보니 즉석에서 생각하고 있는 듯 생각에 잠긴듯한 모습이었다. 아마도 메인 엑스트라가 되었을 때 유리할 수 있는 캐릭터를 고민하는 듯했다. 메인 엑스트라들은 배역이 명확하게 정해져 있지 않고 면접을 통해서 합격한 엑스트라의 캐릭터를 배역에 녹여내는 방식으로 진행한다. 나는 나의 소개서를 검토한 후 다시 한번 신청하기 버튼을 눌렀다. 주사위는 던져졌다. 면접은 볼 수 있을 것 같고, 운이 좋으면 높디높은 경쟁률을 뚫고 메인 엑스트라의 한자리를 차지할 수 있을 것이다. 내가 잘만 한다면. 나에게 확신이 서지 않아 거기까지는 잘 모르겠다.

"무슨 캐릭터로 밀고 가야 하나, 그냥 내 성격으로 가는 게 편하겠지."

"빨리해. 그러다가 인원 다 찬다."

일사천리로 신청을 끝낸 나는 여유롭게 하늘을 쳐다보았다. 하늘은 구름 한 점 없이 하얬다. 나는 희망하는 배역의 성격에 '과묵한'을 적어냈다. 내가 가장 잘 연기할 수 있는 캐릭터의 성격이다. 어쩌면 내 원래 성격일지도 모르겠다. 하지만 나는 충분히 다른 성격도 연기할 수 있다. 내 원래 성격이 뭔지는 별로 중요하지 않다. 메인 엑스트라가 될 수만 있다면 내가 할 수 있는 선에서 어떤 성격을 연기하게 되어도 상관없다. 거침없이 말을 하는 아이들을 보면 솔직히 부러웠다. 그만큼 자신을 신뢰하고 있어서라고 생각하기 때문이다. 가끔 나를 모르는 그래픽들이 나를 답답하고 따분하게 생각하는 것이 눈에 보이기도 한다. 하지만 개의치 않아 하려고 노력한다. 내가 봤을 때 나는 지나치게 생각을 많이 할 뿐이지 그들이 만들어낸 망상과는 많이 다르기 때문이다. 나는 나를 끝까지 믿어 줄 것이다. 무슨 일이 있든지. 그래서 나는 과묵한 아이가 되는 것이 편하다.

"오케이, 완료."

재연이 삐거덕거리며 그네를 움직였다. 메인 엑스트라 신청 명단을 보니 '인원 초과'글자가 큼지막하게 쓰여있었다.

"무슨 성격으로 희망했어?"

재연은 빠르게 손가락을 움직이며 명단을 훑었다.

"딱히 나쁜 쪽으로 가고 싶은 마음은 없지만 그렇다고 착한 쪽으로 가는 건 더 싫어. 아무리 연기라지만 괴리감이 느껴질 것 같단 말이지."

"그래서 무슨 성격으로 희망했냐고."

"이런 글 따위로는 제 매력을 전부 보여드릴 수 없으니 면접 때 뵙겠습니다!"

재연은 완벽한 대답이지 않냐며 실실 웃었다. 나는 두 엄지를 들어 보였다.

"네가 이겼다."

재연과 헤어지고 상비약을 사놓으라는 어머니의 지시에 따라 약국에 갔다. 약국에 사람이 많아서 기다리고 있을 때였다. 약사가 처방전을 들고 온 환자를 호명했다.

"여기 프로그램 중단 약이고요, 식후 30분 후에 드시되, 한꺼번에 한 알 이상 복용하지 마세요."

프로그램 중단 약. 책에서 읽은 적이 있다. 가끔 시스템의 오류로 주인공이 근처에 없을 때도 프로그램이 작동하는 경우에 먹는 약이다. 악용 방지 차원에서 무조건 처방전이 있어야 복용이 가능하다는 정도만 알고 있다. 약을 받은 환자는 어딘가 불편해 보이는 표정으로 약국을 나갔다.

"안됐네."

주변에 있던 엑스트라들이 측은한 눈으로 멀어져 가는 그를 쳐다보았다. 어떤 엑스트라는 혀를 차기도 했다. 옛날에는 약을 먹는 엑스트라가 옆을 지나가면 재수가 옴 붙는다면서 피하기 바빴다고 한다. 하지만 지금은 엑스트라들의 인식이 개선되어서 대부분의 시선이 마냥 부정적이진 않다. 어쩌면 나는 운이 좋다 못해 누군가의 부러움을 사는지도 모른다. 오류 없이 건강한 엑스트라의 몸으로 전이된 것만 해도 정말 큰 복이라는 사실을 다시금 상기시켰다. 약을 처방받은 그에게는 조금도 상관없는 시선일지 모르지만, 엑스트라들의 처연한 눈빛이 나를 향하고 있지 않다는 점에서 안도했다. 나는 정말 운이 좋다. 방금 온 워치의 알림도 그 점에 동의하고 있다. 메인 엑스트라 1차 신청 합격 알림이었다.

　집에 돌아와 상비약을 서랍에 넣어두었다. 머리가 살짝 아팠지만 약을 먹지 않고 참아보기로 했다. 1차 신청에 합격한 것에는 별 감흥 없었다. 예상한 결과였기 때문이다. 1시간 뒤에는 면접을 보러 가야 한다. 오히려 그게 더 걱정이다. 혀가 바짝 말라 들어갔다. 책상에 앉아 예상 질문들을 골똘히 생각해 보았다. 질

문하고 답변하기를 반복하다가 가장 점잖아 보이는 옷을 꺼내
입고 면접 장소로 이동했다.

# 7

 면접 장소는 대기업 같은 큰 건물 안이었다. 10살 때보다 건물
이 더 커진 것 같다는 느낌을 받았다. 그땐 면접에서 무슨 말을
했는지도 잘 기억나지 않지만.
"조심 좀 하세요!"
바로 옆에서는 동시에 도착한 엑스트라들끼리 부딪히는 작은 사
고가 일어나고 있었다. 다른 곳으로 자리를 피하며 건물 안을 둘
러보고 있을 때였다.
"귀하의 대기 번호는 18번입니다."
워치에서 울린 알림이었다. 대기실에서 기다리라는 말에 바로 앞
에 있는 대기실 문을 열고 들어갔다.
내 차례가 되었을 때는 주변 공기가 가라앉은 것처럼 무겁게 느
껴졌다. 대기실에서 나와 복도를 따라 걷자 바로 면접실이 보였
다. 짧게 노크를 한 뒤 잠시 기다렸다. 불타오르는 손으로 손잡
이만 가만히 움켜쥐고 있었다. 면접관이 짧게 반응하자 나도 모

르게 패기 넘치게 문을 열었다. 문을 열자마자 구조가 살짝 바뀐 의자 하나와 컴퓨터 4대가 보였다. 의자는 내가 앉을 곳이고, 컴퓨터 4대는 4명의 면접관이다. 겉보기에는 그냥 컴퓨터들이지만 그들은 생각도 하고, 말도 한다. 심지어 그들은 얼굴도 있다. 컴퓨터 화면에 그려진 눈들이 나를 예의주시하고 있었다. 나는 문을 닫고 큰 목소리로 인사했다. 그들은 하나둘 나에게서 시선을 거두며 의자에 앉을 것을 권유했다.

"18번 지원자 맞으신가요?"

네 번째 면접관이 사무적인 말투로 물었다. 그의 목소리는 마치 젊은 청년의 모습을 연상케 했다. 나는 의자에 앉아 허리를 꼿꼿이 폈다.

"네, 맞습니다."

"1분 동안 본인 소개 부탁드립니다."

청년 면접관의 말이 끝나자마자 첫 번째 면접관의 화면이 숫자로 바뀌었다. 숫자가 0에서 1로 변할 때 즈음 자기소개를 시작했다.

"안녕하십니까? 메인 엑스트라 분야에 지원한 18번 지원자 정예훈입니다. 제게 면접 기회를 주셔서 감사합니다."

입에 침을 바르고 다음 말을 꺼냈다.

"저는 어제까지만 해도 엑스트라 역할을 맡고 있었습니다. 6년 전에는 서브 엑스트라였던 경험 또한 있습니다. 제가 메인 엑스트라 분야에 지원한 이유는 주동 인물을 보좌하는 일이 적성에 맞고 흥미를 느끼기 때문입니다. 무엇보다 제게는 메인 엑스트라에게 있어야만 하는 3가지 역량이 있습니다. 언제든지 주동 인물을 위해 움직일 준비가 되어 있는 자세와 근면 성실함, 동료들을 이끌어나가는 리더십과 팀워크, 다양한 상황에 대한 유연한 대처 능력 등이 이에 해당됩니다."

여기까지 말하고 마른침을 한 번 삼켰다. 나는 임기응변에 능한 편은 아니지만, 지금 심정이라면 면접관들이 방전돼서 컴퓨터 전원이 꺼져도 능숙하게 충전 콘센트를 꽂아줄 수 있을 것 같다.

"서브 엑스트라 시절에 막무가내로 프로그램을 끈 동료를 설득시켜 프로그램을 다시 원상복구 시켰던 일에서 이를 적용했습니다." 어린 재연의 실수 확인 사살함으로써 '유연한 대처능력'에 쐐기를 박았다.

"말씀드린 저의 역량을 바탕으로 주동 인물을 보좌하는 일에 최선을 다하여 임하고 싶습니다. 감사합니다."

내가 자기소개를 마무리 짓자 첫 번째 면접관의 타이머도 멈췄다. 다행히도 시간은 1분을 조금 넘긴 시간에 멈춰있었다. 외운 자기소개를 한 번도 틀리지 않았다는 것에서 또 한 번 안도했다. 첫 번째 면접관의 화면이 얼굴로 돌아왔다. 새파랗게 어린 아이의 얼굴이었다. 두 번째 면접관은 미간에 주름을 지으며 서류들을 내려다보았다. 어머니보다 연세가 더 많아 보이는 얼굴이었다. 세 번째 면접관은 은은한 미소가 깃든 얼굴로 나를 바라보았다. 할아버지로 보이는 얼굴이었다. 면접은 제법 수월하게 돌아갔다. 형식적인 면접관들의 질문에 암기해온 답변을 조금씩 변형해가며 답했다. 긴장이 누그러지며 면접이 거의 끝나가고 있을 때였다. 여태 침묵만을 지키고 있던 두 번째 아주머니 면접관이 입을 열었다.

"마지막에 주동 인물을 보좌하는 일에 최선을 다하고 싶다고 하셨는데, 뭘 어떻게 보좌하신다는 거지요?"

냉소적인 그녀의 말투에 저절로 몸이 굳었지만, 평정심을 유지하려 했다.

"주동 인물의 정서적인 안정과 건강한 성장 생활에 도움을 주고 싶습니다."

면접관의 표정이 미세하게 굳었다.

"혹시 주동 인물과 친분이 있습니까?"

잠시 침묵하며 질문 의도를 파악했다. 면접관들은 본인들이 선택한 엑스트라들의 프로그램 즉, 배역의 성격을 만든다. 만약 엑스트라가 주인공에게 유대감을 형성하고 있다면 사적인 감정을 통제하는 프로그램을 추가로 심어야 하기 때문에 면접관들이 기피하는 부류 중 하나이다. 어쭙잖은 친분을 드러내는 것은 좋지 않다고 판단했다. 나는 솔직하고 굳건한 자세로 말했다.

"주동 인물에 대해 알지는 못하지만 저는 제 미래를 위해서 메인 엑스트라에 지원한 것입니다. 만인의 목표이기도 한 주동 인물이 되기 위해서요. 저는 제 미래를 책임지기 위해서 주어지는 배역에 최선을 다해 연기할 것입니다."

나의 대답에 아주머니 면접관이 입꼬리를 올리며 다른 면접관들에게 눈짓했다. 다른 면접관들은 고개를 끄덕이거나 그녀에게서 시선을 거뒀다. 그녀는 무언가 성에 찬 듯 미소를 지으며 나에게 물었다.

"서브 엑스트라 역할을 맡는 건 어떻겠습니까?"

"서브 엑스트라요?"

나는 당황스러운 마음에 되물었다. 아이 면접관이 친절하게 설명했다.

"서브 엑스트라 중에서도 '관찰자'를 말씀하시는 거예요. 정해지는 시간마다 주동 인물의 일거수일투족을 작성하셔서 저희한테 보내시면 돼요!"

말을 이해하지 못한 건 아니지만 갑작스러운 서브 엑스트라 제안에 생각 회로가 정지된 것만 같았다. 내가 쉽게 대답하지 않자 아주머니 면접관이 따분하다는 말투로 나를 설득했다.

"작성하신 자기소개서를 보니까 과묵한 성격을 희망하시는 것 같은데, 서브 엑스트라를 맡으신다면 그 성격으로 맞춤 제작해 드릴 수 있습니다."

점점 내가 원하지 않는 방향으로 흘러가는 느낌을 받았다. 서브 엑스트라는 생각해 본 적도 없었다. '관찰자'는 더욱더. 관찰자에 대해 자세하게 아는 건 없지만, 주인공을 관찰하고 일거수일투족을 세세하게 적어서 보내야 하기 때문에 주인공과 가까워질 수 없는 역할이라는 것을 어디선가 들은 적이 있다. 면접관이 적극적으로 제안하는 바람에 마음이 흔들릴 뻔했지만, 결코 메인 엑스트라보다 좋은 역할은 없다. 나는 단호하게 마음을 잡고 이 상황을 어떻게 빠져나갈지 궁리했다. 그러다 책에서 읽은 어떤 내용이 떠올랐다. 하나의 성격을 만드는 데는 굉장한 수고로움이 요구된다는 내용이다. 나는 그것을 살짝 이용하기로 했다.

"메인 엑스트라 배역을 맡게 해 주신다면 어떤 성격을 연기하게 되어도 무관합니다. 가장 짧은 제작 시간이 소요되는 성격도 충분히 연기할 수 있습니다."

성격이 잘못 걸리면 내 이미지에 큰 타격을 받게 될 것이고, 나의 고유의 성격과 거리감이 있으면 내 안에서 최대한의 에너지를 내야 연기가 가능하기 때문에 고생하게 되겠지만, 메인 엑스트라가 될 수 있는 기회에 비하면 아무것도 아니다. 나의 강경한 결심이 무색하게도 아주머니 면접관이 대뜸 한숨을 쉬며 나를 똑바로 쳐다보았다.

"고작 성격 하나 안 만든다고 수고로움이 줄어들진 않습니다. 지원자는 차고 넘칠 정도로 많고 우린 지원자에게 아쉬울 게 없으니 선택하십시오."

더 이상 반발했다가는 그대로 쫓겨날 것 같은 분위기였다. 나는 절망감을 애써 짓누르며 대답했다.

"무슨 역할이든지 시켜만 주신다면 최선을 다해 연기하겠습니다."

"저 정도면 관찰자 역할로 괜찮겠지요?"

면접관의 표정이 다시 밝아졌다. 다른 면접관들도 담담하게 수긍하는 듯했다. 면접이 끝났다는 안도감과 동시에 관찰자 역할로 주인공의 자리를 차지할 수 있을지 염려가 되었다. 그것에 대한 모든 가능성을 열어두고 고민하고 있던 도중, 아이 면접관의 목소리가 들려왔다. 지금 들으니 왠지 모르게 조롱하는 듯한 말투로 들렸다.

"그럼…… 지원자님은 학교에 배치되실 예정이니까 관찰자 2로 선정되는 분과 번갈아 가면서 보고서를 제출하시면 돼요! 제출은 워치로 하시면 된답니다!"

"물론 혜택도 있다네. 관찰자들은 다음 주동 인물 추첨 확률을 3% 높여주지."

할아버지 면접관까지 동참하며 신명 나게 설명을 해댔다. 그들은 더욱 자세한 사항은 추후 관찰자 2가 선정되는 대로 알려주겠다는 말과 함께 면접을 끝냈다.

"감사합니다."

마음에도 없는 감사 인사를 하고 면접실을 나왔다. 무언가 단단히 잘못되었다는 것이 실감이 났다.

집으로 돌아오자마자 바닥에 대자로 뻗었다. 주말인데도 불구하고 어머니는 집에 없었다. 누운 채로 집안을 살피다가 문득 식탁을 쳐다보았다. 그곳에는 노란 포스트잇이 붙어있었다. 몸을 일으켜 포스트잇을 자세히 보았다. 어머니의 글씨체였다.

'1차 신청 합격했으니 면접 보고 올게.'

"어머니가 면접을……."

그 순간, 스쳐 지나간 어떠한 생각 때문에 피가 거꾸로 솟는 느낌을 받았다. 주인공이 바뀌면 모든 엑스트라도 교체된다. 어머니가 또다시 어머니 역할을 맡게 된다고 하더라도 나의 어머니가 되어주실 확률은 얼마나 될까.

"……."

두통이 밀려왔다. 서랍에서 두통약을 꺼내 먹고 그대로 침대에 가 잠을 청했다. 대낮이었지만 지금은 아무것도 생각하고 싶지 않았다.

"예훈아, 괜찮니? 애가 몇 시간이나 자는 거야."
어머니의 목소리에 눈이 번쩍 떠졌다. 밖을 보니 벌써 해가 뉘엿 뉘엿 지고 있었다. 두통은 꽤 나아졌지만, 구불구불 꼬인듯한 속은 편하지 않았다.
"어머니, 면접은 어떠셨어요?"
어머니는 천천히 고개를 저으셨다.
"아쉽게도 메인 엑스트라는 못 됐어. 면접에서 떨어졌거든. 대신에 어머니 역할을 한 번 더 맡게 됐어. 집에 오는 길에 재연이를 만났는데, 메인 엑스트라가 됐다고 하더라. 알고 있었니?"
"아니요."
그 녀석은 됐구나, 괜히 마음이 벅찼다.
"면접 보러 오느라 수고했어. 조금 쉬는 게 좋겠다."
나의 반응을 보시고 일부러 결과를 묻지 않으신다는 것을 느꼈다. 방을 나가시려는 어머니의 뒷모습을 보며 말했다.
"…… 저는 서브 엑스트라 중에서도 관찰자를 맡게 됐어요. 결코 제가 원했던 건 아니지만요."
어머니는 말없이 창문을 열어 차가운 저녁 공기를 방 안으로 들이셨다.
"실망했겠구나. 하지만 조급할 건 없어. 준비된 자에게 기회는 어떤 식으로도 찾아오기 마련이거든. 언제 관찰자 역할을 한 번 맡아보겠니."
어머니는 굳이 나의 긍정적인 대답을 요구하지 않았다.
"모든 일에는 순서가 있는 법이야. 이미 결정 난 일이니 과거에 매여있기보다는 조금 쉬면서 내일을 생각해 보는 게 어때?"
열린 창문으로 나의 마음이 환기되는 것 같았다.
"어머니, 짧은 시간이었지만 저와 함께해 주셔서 감사했어요."

"나도 너와 함께해서 정말 좋았어."

어머니는 싱긋 웃으시며 방을 나가셨다. 모든 일이 순식간에 진행된 것 같았다. 나는 침대에 걸터앉아 생각했다. 그래픽 세상으로 쫓겨나지 않은 것만으로도 다행이다. 어머니가 나의 처음이자 마지막 조언자라서 다행이다, 재연이라도 메인 엑스트라가 되어서 다행이다……. 내일이면 새로운 주인공이 잠에서 깨어나게 될 것이다. 우리는 각자 새로운 마음으로 역할을 수행하게 되겠지. 우리 지역의 마지막 주인공일 수도 있는 아이가 진짜 주인공이 될 수 있도록 도와주겠다고 다짐했다. 한 명의 관찰자로서.

'어머니. 다음 생이든, 언제든 진짜 어머니의 자식으로 태어나고 싶어요.'

창밖의 깜깜해진 밤을 보며 슬며시 꺼낸 나의 어리광이었다.

# 8

워치가 요란하게 울려댔다. 엑스트라들의 수면 시간을 전혀 고려하지 않는 새벽 댓바람이었다. 현실을 부정하고픈 마음은 곱게 접어두었다. 잠에서 완전히 깨지 않도록 실눈을 뜨며 워치를 확인했다. '관찰자'에 대한 사항들이었다. 마음의 준비를 한 뒤 읽어 내려갔다.

'첫 번째, 귀하의 관찰 반경은 '학교 내'입니다. 두 번째, 주인공에게 보고하는 장면을 들키지 마십시오. 세 번째, 관찰자 2와 10분 단위로 번갈아 가며 보고하십시오. 네 번째, 우리 쪽에서 한 번씩 스파이 관찰자를 보내 보고서의 내용이 진실인지 확인하니 거짓 보고는 절대로 하지 마십시오.'

"그럴 거면 차라리 촬영을 할 수 있게 해주던가. 서로 귀찮게……."

촬영을 하면 들킬 확률이 높아서 그럴 거라고 애써 포장했다.

추가적으로 배경에 대한 공지가 올라왔다. 이번 배경은 주인공의 새 학기 첫날 정도였다. 늘 그렇듯 주인공이 눈을 뜨기 전에 가짜 기억을 만들어 심어 놓았을 것이다. 주인공은 본인이 어제까지도 평범한 인간의 생활을 했을 것이라 믿고 있겠지. 스크롤을 내리며 읽을 필요가 없는 내용은 넘겼다. 스크롤을 끝까지 내리자 보이는 '내 캐릭터 자세히 보기'를 눌렀다. 이번 정예훈 캐릭터는 '과묵하고 진중한 성격으로, 멀리서 주동 인물을 관찰하고 상태를 파악한다. 몸의 거리는 멀지언정 정서적인 거리는 어떠한 엑스트라보다 가까운 캐릭터'이다.

말만 번지르르하지 그저 '관찰자 1'을 길게 서술한 것뿐이다. 워치를 옆에 던져두고 말똥말똥한 눈을 억지로 감았다. 하지만 눈은 반사적으로 다시 떠졌다. 익숙하게 책을 집어 들었다. 관찰자 챕터를 읽으며 느낀 건 '피곤하다' 정도였다.

언제 다시 잠이 들었는지 다시 눈을 떴을 땐 이미 해가 뜨고 난 후였다. 시간은 벌써 지각하기 15분 전이었다. 서둘러 이불 밖으로 뛰쳐나왔다. 바닥에 정갈하게 놓인 교복과 책이 든 가방이 보였다. 내가 주인공의 학교로 등교를 한다는 사실이 점점 실감 나기 시작했다. 서둘러 준비를 마치고 방문을 벌컥 열었다. 그와 동시에 거실에 있던 누군가와 눈이 마주쳤다. 정장을 입은 남성이었다. 그는 큰 가방을 챙기며 나를 힐끔 쳐다보더니 아무 말 없이 신발을 신고 나가버렸다. 그 뒤로 다른 방문이 열리고 이번에는 일상복 차림의 여성이 다급하게 머리를 묶으며 나왔다. 그녀는 나를 발견하고 고개를 까딱 숙였다. 나도 똑같이 행동했다. 그녀는 작은 가방을 걸치고 현관 앞에서 순식간에 어디론가 이동했다. 상황을 파악할 겨를도 없이 운동화를 구겨 신고 현관문을 열었다. 내가 이동하는 곳 근처에 주인공이 있을 수도 있으니 학교까지 걸어가기로 했다. 학교가 가까워서 다행스러운 순간이었다. 등굣길에 '내 캐릭터 자세히 보기'를 다시 정독했다. 이번 정예훈은 '맞벌이 부부의 아들'이라는 설정을 가지고 있었다. 방금 전 상황이 그제야 이해가 되었다. 학교 근처에 다다르자 같은 교복을 입은 엑스트라들이 많이 보였다. 다들 분주한 발걸음으로 학교 안으로 들어갔다. 묘하게 들떠 있는 엑스트라들과 심각한 표정의 엑스트라들이 대비되었다. 전자는 대부분 메인 엑스트라들이었다. 워치를 켜 주인공의 위치를 확인했다. 학교 안이었다.

"안녕, 너 메인 엑스트라 맞지? 명단에서 본 것 같아."

"맞아! 너는?"

신호등 앞에서 엑스트라들끼리 나누는 대화를 들으며 지금 주인공은 어떤 기분일까 생각했다. 그 애에겐 그저 다를 것 없는 새 학기려나. 건물 안에 들어서고 내 반을 찾아 계단을 올랐다. 주인공의 반은 긴 복도의 중앙에 위치한 반이었다. 많은 엑스트라들이 주인공의 반 앞을 서성거리며 힐끔힐끔 쳐다보았다. 힘겹게 그들을 제치고 뒷문을 슬며시 열었다. 모든 엑스트라들이 통제 없이 돌아다니고 있었다. 그것으로도 주인공이 교실에 없다는 사실은 쉽게 예상할 수 있었다. 내 자리를 찾아 앉기도 전에 익숙한 얼굴이 내 쪽으로 성큼 다가왔다.

"아, 망했다! 진짜!"

재연이 열불을 내며 머리카락을 헝클어댔다.

"메인 엑스트라님, 왜 그러세요. 서브 엑스트라라도 괜찮다면 제게 푸념해 보시는 건 어떠시겠습니까?"

나의 과장된 언변에도 재연은 아랑곳하지 않고 억지로 나를 의자에 앉혔다.

"캐릭터 설명에 뭐라고 적혀 있었는지 알아? 내가 주인공의 성실한 따까리래!"

본인이 심하게 각색했다는 사실을 빼먹은듯했다.

"그게 뭐가 어때서? 넌 꼭 전 메인 엑스트라 지원자 앞에서 그런 복에 겨운 소릴 해야겠냐?"

재연은 입술을 씹으며 초조함을 티 냈다.

"복 같은 소리 하고 있네. '감정을 공유하는 가까운 친구'가 그냥 따까리라는 소리잖아! 심지어 이 반에서 유일하게 아는 애라는데, 오늘 같은 첫날에는 무조건 나랑 붙어있을 게 뻔……."

재연이 말을 하다가 말고 재빠르게 교실 뒷문으로 뛰어갔다. 제 의지로 간 게 맞는 건가 의문이 들 정도로 순식간이었다. 종이 치고, 다른 엑스트라들도 하나둘 신속하게 본인들의 자리를 찾아갔다. 어수선한 분위기 속, 드르륵 문이 열리는 소리가 났다. 뒷문 앞에 가만히 서 있던 재연이 움직이기 시작했다.

"찾으러 가려고 했는데."

"아, 화장실 갔다 왔어."

드디어 모습을 비춘 주인공 앞에서 프로그램이 작동한 재연이 연기를 하기 시작했다.

"방금 종 쳤어. 빨리 들어와."

저 말과 행동, 표정. 전부 재연의 것이 아니었다. 프로그램이 지배한 몸은 재연이라 부를 수 없는 아예 다른 존재 같았다. 주인공은 당연하게도 대수롭지 않게 교실에 들어와 본인의 자리를 찾아갔다. 모든 엑스트라들이 주인공을 보려고 했겠지만, 프로그램이 작동했는지 거의 아무도 고개를 돌리지 않았다. 나는 아직 프로그램이 작동하지 않아서 내 의지대로 주인공을 주시했다. 주인공이 점점 내 쪽으로 걸어왔다. 달랑거리는 이름표에는 주인공의 이름 석 자가 적혀 있었다. 문득 자신이 주인공이 되었다는 사실을 인지한 엑스트라 진이서의 반응이 궁금했다. 그때처럼 주인공이 된 것을 싫어할까, 아니면 그저 어릴 때의 철없는 반항이었다며 웃어넘길까. 주인공이 나를 지나쳐 자리에 앉을 때까지 나의 망상은 계속되었다.

"저기, 네 워치에서 진동 울려."

짝꿍의 말이 들림과 동시에 워치의 진동이 온몸으로 전해졌다. 주머니에서 워치를 꺼내 확인했다. 지금부터 10분간 보고서를 작성하라는 친절한 알림이었다. 당사자와 작성자 모두가 탐탁지 않은 염탐 활동이 시작되는 순간이었다.

"캐릭터가 영 안 맞던데, 고생 좀 하겠다."
쉬는 시간, 종이 치자마자 교실을 박차고 나온 재연의 뒤를 따라가 한 말이었다. 재연은 철저하게 주변을 살핀 후 프로그램을 off 상태로 돌려놓았다. 그리고 화장실로 들어가 찬물에 세수를 해댔다. 프로그램을 꺼도 주인공이 근처에 있으면 저절로 켜지기 때문에 나도 안심하고 프로그램을 잠시 끌 수 있었다. 물론 결코 달갑지 않은 상황일 테지만.
"본능적으로 직감했다. 난 망했어. 그 컴퓨터 대가리들은 메모리 칩 빼놓고 역할 만들었나."
"나도 힘들었어. 계속 주인공이랑 시계 보느라 없던 병도 생기는 기분이었다고."
나의 첫 염탐 활동 후기를 말해보자면, 정말 최악이었다. 수업 시간이라 특별한 움직임도 없는 주인공의 뒷모습만 빤히 쳐다보며 자질구레한 움직임까지 전부 적어야 했다. 볼펜을 몇 바퀴째 돌리는지 세어보고 있었을 때는 말로 형용할 수 없는 우울함을 느꼈다. 심지어 가끔씩 주인공이 뒤를 돌아볼 때마다 워치를 숨기고 책을 보는 척해야 했기 때문에 한순간도 긴장을 늦출 수 없었다. 화룡점정으로, 관찰자 2의 10분이 끝이 나고 내 차례가 되었을 때, 아까는 울렸던 진동이 더 이상 울리지 않는다는 사실을 깨닫고야 말았다. 내 보고서 작성 시간을 놓치면 난 그냥 그대로 끝이었다. 차례가 넘어갔을 때 관찰자 2를 찾아볼까 생각도 했지만, 그 10분이라도 머리를 식히는 것이 이득이라는 것을 깨달은 뒤부터는 교사 엑스트라의 낭독을 들으며 멍을 때렸다. 수시로 시계를 보는 것도 잊지 않은 채.
"이게 무슨 생고생이냐."

"반항심이 들끓어 오르지만, 참지 않으면 내 인생이 반항할 수도 있으니 참는다. 진짜⋯⋯."

재연이 체념한 듯 머리카락을 바르게 정리했다.

재연과 대화한 뒤로 다시 내 차례가 돌아와서 주인공 주변을 맴돌며 염탐 활동을 재개해갔다. 학교는 따분한 수업 시간과 작은 숨구멍인 쉬는 시간의 연속이었다. 프로그램이 하나씩 작동하는 메인 엑스트라들이 쉬는 시간마다 주인공의 근처에서 하는 이야기들을 시시콜콜 적는 시간이 그나마 흥미로운 시간이었다. 보고서에는 재연의 비중이 컸는데, 체력이 좋은 건지 악으로 버티는 건지 꽤 오랜 시간 한 번도 프로그램을 끄지 않았는데도 나름 멀쩡해 보였다. 그리고 가장 기억에 남았던 인물이 있었다. 바로 해킹을 통해 우리 지역에 주인공의 자리를 가져온 장본인이자 전 주인공이었다. 보통은 실패자라고 부르지만, 나의 정서에 맞지 않은 것 같아 일일이 전 주인공으로 불러줄 생각이다. 각설하고, 전 주인공이 가장 기억에 남았던 이유는 그렇게 특별하진 않다. 그 애는 엑스트라 중에서도 비중이 거의 없다시피 해서 본인이 먼저 주인공에게 접근해서는 안 된다는 규칙이 있다. 그런데 점심시간 즈음 교실에서 공부를 하고 있는 주인공에게 갑작스럽게 일정 거리 이상 접근해 주위에 있던 엑스트라들이 그를 퇴장시키려 한 작은 사건이 있었다. 주인공이 뒤를 돌아봐서 퇴장당하지는 않았지만 전 주인공의 표정이 굉장히 오묘했던 기억이 있다.

그로부터 며칠이 지났다. 오늘도 여전히 주인공 염탐 활동을 이어나가고 있다. 우습게도 벌써 적응한 듯 능숙한 손가락 움직임으로 주인공의 뒤를 밟았다. 시스템에서 아무 말이 없는 것으로 보아 나의 염탐 활동에 대한 확신이 생겼다. 10분을 채우고, 주변에 관찰자 2가 있는지 둘러보았다. 이번에도 아무도 발견하지 못한 채 모퉁이를 도는데, 같은 순간 모퉁이에서 나오던 누군가와 부딪혀 물건을 실수로 떨어뜨렸다. 떨어진 물건은 워치였다. 워치를 주우려고 몸을 숙였다. 익숙한 화면이 보였다. 자세히 보니 관찰자 보고서였다. 워치를 건네며 말했다.

"안녕, 네가 관찰자 2야?"

"몰랐어?"

얼굴을 자세히 보니 옆자리 짝꿍 여자애였다. 아이는 워치를 가지고 주인공이 있는 쪽으로 종종걸음으로 걸어갔다. 그리고 근처 벽 뒤에 쭈그리고 앉았다. 얼떨결에 따라오게 된 나는 조용히 물었다.

"넌 내가 관찰자라는 거 알았어?"

관찰자 2가 낮은 목소리로 말했다.

"위치가 뜨잖아. 그 위치에 있는 엑스트라가 관찰자지, 뭐."

"위치가 뜬다고? 어디에? 워치에?"

"관찰자들끼리 위치 추적 되는 거 몰랐어?"

그 말에 슬쩍 워치를 확인해 보았다.

"그러네."

"지금 쌍으로 말소리가 들려서 머리 아프거든? 가 줄래?"

"미안."

주인공에게 집중해 있는 관찰자 2를 뒤로하고 교실로 향했다. 복도 끝에서 전 주인공이 피곤한 얼굴로 걸어왔다. 눈이 마주쳤지만 그쪽에서 먼저 시선을 피했다. 대수롭지 않게 지나치려던 참이었다.

# 9

"야."

그 아이가 내 앞에 우뚝 섰다. 나는 영문도 모른 채 멈춰 섰다.

"왜?"

"관찰자 하는 거 힘들지?"

위로라도 해주려는 건가, 질문의 목적이 짐작되지 않았다.

"…… 그렇지."

내 말에 전 주인공은 기다렸다는 듯이 주머니를 뒤적거렸다.

"그래, 너희들은 완전한 쉬는 시간도 없고 종일 빠듯하지?"

나의 대답을 듣지도 않고 주머니에 손을 넣은 채 한 번 더 물었다.

"쉬고 싶을 때 쉬고 싶지?"

느낌이 조금 싸했다. 전 주인공은 주머니에서 빼낸 무언가를 손에 쥐고 나를 뚫어져라 보았다. '이게 뭔지 보여줄까?'라고 말하는 눈빛이었다.

"바쁘니까 빨리 본론만 말해."

습관처럼 시계를 보며 재촉하자 전 주인공이 눈을 가늘게 뜨고 말했다.

"필요하지?"

그 아이의 손에 있던 것은 다름 아닌 프로그램 중단 약이었다.

"이걸 네가 어떻게 가지고 있어?"

"환자였거든. 지금은 완치. 너한테 굉장히 필요할 것 같아서 특별히 주는 거야."

뜸을 들일 때는 언제고 받을 거냐, 말 거냐를 재촉해댔다. 안 되는 걸 알면서도 잠시 고민했다. 저 약을 먹으면 주인공이 있든 없든 프로그램을 자유롭게 켜고 끌 수 있으니 보고서를 적지 않아도⋯⋯.

"잠깐, 내가 만약 그 약을 먹었다 하더라도 보고서가 안 오면 난 그냥 끝인데?"

전 주인공이 약봉지를 소리 나게 만지작거렸다.

"내가 참 친절하게도 너와 프로그램을 바꿔 줄 거야."

"⋯⋯ 그게 무슨 말이야?"

"네가 약을 먹고 프로그램을 끄면 내가 그 주인 없는 프로그램을 가지고 너 대신 보고서를 쓰고, 너는 내 프로그램을 가지고 편하게 쉬면 되지. 네가 내 프로그램을 끄면 다시 원래대로 돌아오고."

프로그램을 서로 바꾸자니, 파격적이고 충격적인 말이었다. 전 주인공이 왜 나에게 이런 구미가 당기는 제안을 하는지 모르겠다. 치명적인 약점이라도 잡힌 건 아닐까 불안해졌다.

"그럼 난 관찰자를 경험해 보고, 너는 자유롭게 쉴 수 있지. 둘 다 프로그램을 가지고 있으니 문제 되지는 않을 거야. 시스템에서 본인 확인 잘 안 하잖아?"

아무리 그래도 모르는 엑스트라에게 나의 프로그램을 넘길 수는 없었다. 저 아이의 숨은 목적도 모르는 것이고. 그리고 나는 불법 행위를 저지를 정도로 간이 크지 않다.

"그거 불법이야. 병 다 나았으면 신고하기 전에 약국에 들고 가서 처분해."

전 주인공은 어느 정도 예상한 반응인 듯 아무 말 없이 약을 주머니에 도로 넣었다.

"알았어, 이 시시한 놈아."

그 아이는 내 어깨를 치고 유유히 지나쳤다. 혹시 다른 엑스트라들에게도 권하는 것은 아닐까, 마음이 싱숭생숭해졌다. 재연에게도 조심하라는 경고를 줘야 하나 생각했지만 어릴 때부터 워낙 경계가 심한 녀석이라 안심해도 될 것이라고 생각했다.

# 10

[ 재연 ]

자유를 원한다. '주인'이 돼서 자유롭게 살기 위해 지금은 자유를 포기하고 메인 엑스트라 최재연으로서 최선을 다한다. 그런데 인생 난이도가 너무 높다. 그래, 불만이다. 다른 엑스트라들도 이런 과정을 겪는다니 뭐라니 하지 마라. 짜증 나니까. 메인 엑스트라는 내 생각보다 훨씬 더 만만하지 않았다. 프로그램을 실행하기 위해 뒷받침되어야 하는 체력과, 주인의 교육 과정을 따르기 위한 체력이 기본이 되어야 했다. 그다음은 성적. 아무리 모범적인 학생의 프로그램을 가지고 있어도 성적은 그것과 비례하지 않았다. 내가 이것에 대해 열변을 토로해도 돌아오는 대답은 '어쩌겠어, 성적은 네가 공부한 만큼 나오는 건데.'라는 정예훈의 말뿐이었다. 불행 중 다행히도, 주인이 중학교에서 배운 기본적인 지식이 내장되어 있어 교육 과정을 완전히 따라가지 못하는 것은 아니었다. 그래도 나의 성적은 그리 좋지 않다. 다음은 자유. 당연한 말이지만 자유가 일절 없다. 내 마음대로 놀고 싶고 행동하고 싶어도 메인 엑스트라는 특히 통제가 극심해서 미칠 노릇이다. 학교가 끝나더라도 정말 운 좋게 주인과 같은 학원에 다니는 바람에 집에 돌아오면 녹초가 되어 거의 기절한다. 이럴 거면 차라리 나를 먼저 기절시킨 다음에 몸만 써 줬으면 한다. 미친 척하고 탈주하기에는 처분당할 수밖에 없는 정해진 미래가 두렵다. 어릴 때와는 다르게 이제는 내 행동에는 나의 책임이 있다는 사실을 안다.

"최재연. 너 포스트잇 있어?"

몰래 책상에 엎드린 지 얼마나 됐다고, 주인의 목소리에 나의 프로그램이 다시 작동하기 시작했다.

"큰 거랑 작은 거 있어. 뭐 줄까? 둘 다 줄까?"

큰 거든 나발이든 그냥 주면 되지 왜 쓸데없는 것에서 세심한지 모르겠다.

"아, 큰 거 하나만. 고마워."

주인이 포스트잇 하나를 뜯어갔다. 애초에 이런 건 왜 크기별로 챙겨 다니는지 당최 이해할 수가 없다. 쉬는 시간임에도 불구하고 주인은 공부에 집중하고 있었다. 물론 프로그램이 작동한 나도. 간만에 휴식 시간이었는데, 한숨만 나왔다. 그렇다고 주인이 원망스러운 건 아니다. 이건 오로지 내가 감당해야만 하는 숙명이라고 생각한다. 이 애도 이런 과정을 겪었을 테니까. 그것을 위안으로 삼기도 한다.

혼자 있을 때면 쉽게 회의감에 휩싸인다. 나에게 정말 결정적인 기회가 올지 확신할 수가 없다. 이미 쟁쟁한 메인 엑스트라들도 많고 결정적으로, 주인의 자존감이 높아서 실패 확률을 나타내는 게이지가 항상 낮다. 메인 엑스트라만 볼 수 있는 게이지라서 다른 엑스트라들은 보지 못하지만, 오히려 모르는 게 약이라는 생각이 든다. 게이지를 볼 때마다 내 자존감이 추락하는 뭐 같은 기분이 들기 때문이다. 나의 미래가 불투명하다는 것을 깨달았다. 노린 건지 이런 최악의 타이밍에 그 녀석이 나에게 말을 걸었다. 그 달콤한 유혹 같은 제안은 썩은 줄 알면서도 붙잡는 동아줄과 같았다.

"잘 생각해 봐. 이런 기회가 또 어디 있어?"

실패자 녀석이 프로그램 중단 약을 이리저리 흔들며 나를 설득했다. 조금 앞으로 돌아가서, 체육 수업 시간이었다. 운동장에서 수업을 하기 위해 선생 엑스트라가 체육 창고에서 물건들을 가져오라고 시켰다. 지목된 두 명은 나와 전 주인인 실패자였다. 그 녀석은 체육 창고에 도착할 때까지는 아무 말도 없다가 같이 물건을 들고 돌아갈 때 즈음 입을 열었다.

"메인 엑스트라, 피곤해 죽겠지?"

처음에는 그냥 무시했다.

"내가 자유롭게 해줄 수 있는데."

터무니없는 말이라는 걸 알면서도 순간 발걸음이 저절로 멈췄다.

"장난하냐?"

"아니."

단호한 말투와는 다르게 실패자 녀석의 표정에는 장난기가 가득했다.

"이걸 먹으면……."

"닥쳐."

나는 녀석을 무시하며 빠른 걸음으로 계단을 내려갔다. 계단을 내려가던 와중, 머리에 가벼운 무언가가 떨어졌다. 확인해 보니 정체 모를 알약이었다. 위를 올려다보았다. 녀석이 나를 내려다보고 있었다.

"그건 네 자유 한 번."

녀석이 무언가를 한 번 더 떨어뜨렸다.

"두 번."

같은 알약이었다.

"세 번."

"이게 뭔데?"

세 번째 약까지 줍고 녀석을 올려다보았다. 녀석은 계단 난간에 턱을 괴고 상념에 잠긴듯하다가 음흉한 미소를 지으며 말했다.

"네 자유라고."

약봉지 세 개를 손에 쥐었다 폈다를 반복했다. 실패자가 한 말이 여전히 귀에 맴돌았다. 잠깐 쉬고 싶을 때는 약을 먹고 프로그램을 끄고, 복귀해야 할 때는 다시 켜면 된다고 했다. 단, 약을 먹으면 주인이 근처에 있어도 프로그램이 저절로 켜지지 않으니 직접 켜야 한다고 했다. 프로그램이 꺼진 것을 누군가 보면 퇴장당하니까 인적이 드문 곳에서 휴식을 취하라는 경고까지 생생하게 기억이 난다. 그날 집에 가는 길에 약국에 들러서 이 약이 프로그램 중단 약이 맞는지 물었다. 약사 엑스트라의 확신에 찬 대답에 약을 주면서 아무런 조건을 걸지 않은 녀석이 더욱 의심스러워졌다. 원래 같았으면 받지도 않았겠지만, 지금은 프로그램이 꺼졌을 때라도 이런 사소한 반항적인 행동을 하고 싶어졌다. 나는 약들을 주머니에 넣고 학원으로 향했다.

컨디션이 안 좋았다. 요즘 잠을 못 잔 탓인지 귀에서 이명이 들리고 눈앞이 도는 듯했다. 수업 시간이었지만 상관없이 당장 엎드려 자고 싶었다. 아쉽게도 이 빌어먹을 프로그램은 나의 몸 상태를 전혀 개의치 않아 했다. 혼신의 힘을 다해 정신을 부여잡으려고 노력했다. 그때 옆자리 메인 엑스트라가 주인의 눈치를 보더니 나에게 속삭이며 말했다.

"괜찮은 거냐? 과부하 걸렸어?"

그 말에 눈앞에 별까지 보이는 듯했다. 이상함이 엑스트라의 눈에 포착된 것이라면 주인도 곧 나의 이상함을 느낄 수 있다. 여기서 버티지 못하면 그대로 퇴장이다. 온몸에 오한이 들었다.

"최재연."

갑작스러운 선생 엑스트라의 부름에 반사적으로 고개를 들었다.

"너 보건실 간다면서? 안 가니?"

"…… 감사합니다."

선생 엑스트라도 이상함을 느끼셨는지 작은 도움을 주셨다. 그로 인해 프로그램을 끄지 않고 교실을 나올 수 있었다. 교실을 나오자마자 프로그램 off를 눌렀다. 아직은 주인의 근처라 그런지 프로그램이 꺼지지 않았다. 꼬박꼬박 말 잘 듣는 프로그램이 나를 멋대로 보건실로 데려가려 했다. 보건실까지 가다가는 그대로 기절할 수도 있을 것 같았다. 근처에서 몸을 제지할 만한 것을 찾다가 식수대를 발견했다. 식수대를 붙잡고 멋대로 움직이는 다리를 통제하려고 했다. 하지만 프로그램은 더욱 격해질 뿐, 나아질 기미가 전혀 보이지 않았다. 무의식적으로 주머니에 손을 넣었다. 바스락거리는 약봉지가 쥐어졌다. 점점 손에 힘도 빠지려고 했다. 더 이상 고민하지 않고 약봉지를 물어뜯었다. 약을 입에 넣고 식수대의 물과 함께 삼켰다. 그와 동시에 뚝, 하고 나의 몸에 자유가 찾아왔다. 나는 식수대 옆에 주저앉아 그대로 기절하듯 잠이 들고 말았다.

수업 종료 종소리에 잠에서 깼다. 서둘러 프로그램을 on을 눌렀다. 프로그램이 정상적으로 켜졌다. 나는 안도의 숨을 내뱉으며 교실로 돌아갔다. 약을 먹기 전까지의 망설임이 무색할 정도로 평소와 다름없는 하루였다. 잠을 좀 자서 상태가 더 좋았던 것 같기도 했다. 그렇게 나는 약에 대한 경계심을 완전히 잃게 되었다.

며칠 뒤, 때는 점심시간. 혼자 있고 싶은 날이었다. 공부를 하기 위해 도서실로 가는 계단을 오르던 와중 그것을 실천하기로 마음먹었다. 주변에 아무도 없다는 것을 확인하고 난간에 팔을 단단히 고정했다. 두 번째 약봉지를 뜯었다. 제법 대담하게 물도 없이 약을 삼켰다. 약이 식도를 타고 흘러갔다. 나도 여유롭게 계단을 타고 운동장으로 내려갔다. 내 의지로 운동장을 밟아본 게 얼마 만인지. 흥분을 주체할 수 없었다. 온몸이 짜릿했고, 이 짜릿함이 온전한 나의 감정이라는 것이 상쾌했다. 웬일인지 엑스트라들도 전부 눈치 있게 농구 골대 앞에 모여있었다. 나는 두 번째 자유를 만끽하며 아무도 없는 운동장을 뛰어다녔다.

다시 제자리로 돌아가야 할 시간이었다. 아쉬운 마음에 운동장 한가운데 있는 축구공을 최대한 멀리 찼다. 현실과 동떨어진 저 축구공이 나였으면 좋겠다고 생각했다. 결국 나는 다시 현실에 복종하기 위해 프로그램 on을 눌렀다. 세상에 비밀은 없다고 했던가, 누군가 내 죄를 시스템에 일러바치기라도 한 걸까. 귀에서 심장이 뛰는 듯했다. 누가 머리를 세게 치고 간 것처럼 띵했다. 일단 교실로 가야겠다는 생각이 제일 먼저 들었다. 최대한 빠르게 움직여야 할 것 같았다. 나는 힘이 풀린 다리를 이끌어 교실을 향해 전속력으로 뛰었다. 아무리 눌러도 켜지지 않는 프로그램을 가지고.

# 11

엑스트라들이 잘 지나다니지 않는 길을 통해 교실까지 도착했다. 교실 창문에 눈을 가까이했다. 교실 안 엑스트라들이 모두 한곳을 쳐다보고 있었다. 그들의 시선을 따라간 곳에는 주인공과 어느 엑스트라의 뒷모습이 보였다. 다시 엑스트라들을 쳐다보았다. 그들의 표정은 거의 경악을 하는 수준이었다. 교실 분위기가 심각해 보였다. 시선이 모인 엑스트라의 뒷모습을 빤히 쳐다보았다. 어딘가 기분 나쁘게 익숙했다.

"얘들아? 왜 그렇게 쳐다봐?"

주인의 목소리였다. 원인 모를 시선 집중에 적잖이 당황한 듯했다.

"신경 쓰지 마. 우리 다른 곳으로 갈까?"

목소리를 듣자마자 몸에 전기가 통한 듯 따가웠다.

"종 쳤으니까 자리에 앉아야지. 그리고 저번에 빌려줬던 포스트잇 또 빌려줄 수 있어?"

"그냥 너 줄게."

그 녀석, 실패자 녀석이 미소를 지으며 주인을 바라보았다. 귓가가 시뻘겠다. 그것을 본 순간 내 안에서 무언가 끊어진 듯 속이 새하얘졌다. 머릿속에 벌레가 기어다니는 것 같았다. 불쾌했다. 더 볼 것 없이 교실 문을 박찼다. 감정을 통제하는 프로그램이 없으니 이 폭발적인 감정을 어떻게 다스려야 하는지 몰랐다. 모든 이의 고개가 나를 향해 돌아갔다. 아랑곳하지 않고 실패자 녀석에게 다가가 멱살을 잡았다. 뒷일을 생각하기에는 무리가 있었다.

"너 뭐야?"

실패자 녀석이 아무것도 모른다는 억울한 눈으로 나를 쳐다보았다. 딱 보니 프로그램이 시키는 연기였다. 나는 질문 상대를 바꿨다.

"너, 얘 이름 뭐야?"

주인이 잠시 우물쭈물하더니 작은 목소리로 말했다.

"최재연……."

나도 모르는 새에 주먹이 나간 것 같았다. 실패자 녀석은 꼴좋게 넘어져 있었다. 그걸로는 성에 차지 않았다. 한 번 더 그 녀석을 집어 들었다.

"잠깐!"

주인과 가장 가까운 사이인 메인 엑스트라가 끼어들었다. 프로그램이 작동해 억지로 중재에 나선 것 같았다.

"누가 선생님 좀 빨리 모셔와!"

일이 너무 커져 버렸다. 실패자 녀석을 내려다보았다. 순간 눈을 의심했다. 녀석이 프로그램 중단 약을 여유롭게 삼키고 있었다. 머리가 터질 것 같았다. 급격히 차분해진 말투로 물었다.

"뭐 하냐, 지금?"

실패자 녀석이 나를 무시하고 주변을 둘러보았다. 그러더니 주인이 듣지 못할 작은 목소리로 말했다.

"너나 뭐 하냐? 애들 안 보여?"

무슨 말인지 알 수 없어 엑스트라들을 흘겨보았다. 내가 크게 간과한 한 가지가 있다는 것을 그제야 깨달았다. 엑스트라들의 눈이 모두 붉었다. 그건, '프로그램이 없는 엑스트라가 있으니 당장 퇴장 시켜라'라는 시스템의 명령이었다. 그리고 엑스트라들의 손에 이끌려 퇴장당하게 되면…….

"난 퇴장당하기 전에 다시 켜면 그만이야. 근데 넌 프로그램 자체가 없어서 켜지도 못하지."

실패자 녀석이 자리에서 일어났다. 나는 차마 일어나지 못하고 눈으로만 녀석을 쫓았다.

"난 이제 메인 엑스트라야. 내가 이서 데리고 나가버리면 넌 그냥 끝이라고. 그대로 즐거운 퇴장 행."

녀석은 나를 벌레 보듯이 보았다.

"행동 똑바로 하는 게 좋을걸?"

"……."

다리가 완전히 굳었다. 엑스트라는 프로그램 없이는 주인공 앞에서 어떠한 행동도 할 수 없다. 여기서 조금이라도 움직이거나 말을 했다가는 돌이킬 수 없을 것 같았다. 식은땀이 흘러 바닥으로 떨어졌다. 내가 지금 할 수 있는 거라곤, 어쩌다 이렇게까지 되어버렸는지 생각하는 것 밖에 없었다. 프로그램에서 벗어났을 때 비로소 자유를 다시 찾은 것 같았다. 하지만 나는 내 감정 하나 다스리지 못하고 스스로 나의 무덤을 파 버렸다. 이것은 내가 생각한 자유가 아니었다. 그래픽 때처럼 나의 말을 하고, 나의 의지로 나의 행동을 하는 것이 자유라고 굳게 믿어왔다. 하지만 비로소 알게 된 자유의 정의는 너무나 암울했다. 프로그램이 시키던 통제와 인내를 스스로에게 하는 것. 그것이 자유였다.

나의 감정은 거친 바람과 화난 파도와 같았다. 그래픽 때와는 차원이 다른 느낌이었다. 나에 대한 죄책감에 고개를 들 수 없었다. 붉은 눈의 엑스트라들이 웅성대기 시작했다. 주인이 앞에 있어서 나를 퇴장시키기에는 좋지 않은 상황이었나 보다. 끝까지 나를 내려다보던 실패자 녀석이 질린 듯 주인의 손을 잡고 교실 밖으로 끌고 나갔다.

"이서야, 잠깐 나가자. 너한테 할 말이 있어."

"이게 도대체 무슨 상황이야?"

프로그램을 끈 실패자 녀석이 당당하게 지나가도 엑스트라들은 녀석을 퇴장시킬 수 없었다. 다들 주인 눈치나 보기 바빴다. 나는 서서히 일어나 녀석의 뒤통수에 대고 중얼거렸다. 더 이상 나에게 후회하지 않기로 했다.

"여자에 미친 새끼."

# 12

[ 예훈 ]

 전 주인공이 교실을 나가다 말고 험악한 표정으로 재연을 노려
보았다. 하지만 그것도 잠시뿐, 금방 주인공과 자리를 떠나버렸
다. 정확히 방금, 내 10분도 끝났다. 주인공을 끝까지 주시하던
엑스트라들이 너 나 할 것 없이 재연에게 달려들었다. 나의 프로
그램도 재연을 퇴장시키라고 명령했다. 엎친 데 덮친 격, 주인공
이 멀리 가지 않았는지 프로그램이 꺼지지 않았다. 재연의 팔은
이미 한 짝씩 잡혀 있었다. 어쩔 수 없이 일단 프로그램에 몸을
맡기기로 했다. 나는 재연에게 빠르게 다가가 엑스트라들을 인정
사정없이 밀쳤다.
"다 비켜!"
드디어 재연에게 도달한 나는 정신력을 끌어모아 최대한 프로그
램에 저항했다. 겨우 정신을 차리고 재연을 끌고 복도로 나갔다.
복도로 빠져나오려는 엑스트라들을 과격하게 밀어 넣고 문을 닫
았다. 공포 영화 마냥 창문에 손자국이 다다닥 생겼다. 문에 등
을 대고 버티며 재연에게 고함질렀다.

"너 약 남은 거 있지!"

재연이 앞문을 막으며 되물었다.

"약은 왜!"

점점 몸에 힘이 빠지기 시작했다.

"빨리 주기나 해!"

나의 다급한 목소리에 재연은 급하게 주머니에서 약을 꺼내 나에게 던졌다. 바닥에 떨어진 익숙한 약봉지를 보며 재연에게 미리 경고하지 않은 것을 후회했다. 한 손으로 그것을 주워 입에 넣은 후 침과 함께 삼켰다. 약을 삼키자마자 정신이 맑아지는 느낌이 들었다. 완전히 프로그램에서 벗어나고, 재연에게 말했다.

"3초 뒤에 뛰어!"

"뭐? 어디로!"

"운동장으로!"

심호흡을 하고 빠르게 3초를 셌다. 문에서 등을 때자마자 눈이 붉은 엑스트라들이 쏟아져 나왔다. 재연은 나와 같이 운동장으로 달리기 시작했다. 계단을 여러 칸씩 뛰어내리고 방향을 틀어주며 거리를 넓혀 갔다. 학교 건물에서 나오자마자 운동장으로 가려는 재연을 붙잡고 건물 옆에 잠시 대기했다. 엑스트라들은 뒤돌아보지도 않고 일사불란하게 운동장을 향해 뛰어갔다.

"체육 창고로 가자."

우리는 엑스트라들의 동태를 파악한 후 조용히 체육 창고로 달려갔다.

체육 창고로 들어와 불을 켰다. 숨 돌릴 시간도 없이 무거운 운동 기구들로 입구를 막았다.

"야, 넌, 약을, 왜 먹었냐? 미련하게."

재연이 숨을 헐떡이며 나를 쳤다.

"안 그럼, 내가 널, 퇴장 시켜야 했는데?"

"멍청하긴."

"살려줘도 뭐래."

재연은 농구공 위에 앉아 숨을 골랐다. 나는 그 자리에서 상황 파악을 이어나갔다. 조금 진정된 재연에게 확신에 찬 목소리로 물었다.

"프로그램 약 전 주인공이 준 거지?"

"어."

"아마 네가 약을 먹었을 때를 틈타 네 프로그램을 해킹한 것 같아. 그 자식 전과범이잖아."

재연이 말없이 머리를 싸맸다.

"…… 너도 나름대로 생각이 있었을 테니까 너무 뭐라 하진 않을게."

본인을 심히 자책할 것을 염두에 두고 한 말이었다. 재연은 다행히 그 말에 조금 안심한 것 같았다.

"네가 지금 얼마나 힘든지 알아. 주인공 옆에 있는 너를 항상 관찰했으니까."

재연이 멀리 고개를 돌렸다. 낯간지러운 걸 별로 좋아하지 않는 성격이다. 괜히 체육 창고를 둘러보며 말했다.

"그래도 너무 뭐 하면 나한테 말하든지. 네 성깔은 나밖에 못 받아줄 테니까."

"내가 널 받아주고 있다는 생각은 안 하냐?"

재연이 한쪽 눈을 찡그리며 한 마디 뱉었다. 보통 고마울 때 저런 표정을 짓는다. 안심하고 아까부터 곰곰이 생각했던 전 주인공에 대한 이야기를 꺼냈다.

"전 주인공이 나한테 약을 권유했을 때, 프로그램을 서로 바꾸자고 했어. 아마 한 명당 하나의 프로그램만 소유할 수 있는 것 같아. 대체 그런 건 어떻게 알았던 거지."

"그 녀석 너한테도 갔어?"

"그러니까 알지. 어쨌든 그게 핵심이 아니야. 전 주인공은 지금

네 프로그램을 쓰고 있으니 본인 건 프로그램이 없는 다른 엑스트라한테 갔을 거야."

재연이 심각한 표정으로 자세를 고쳤다.

"근데 난 프로그램이 아예 없는데?"

"그래서 내가 내린 결론은, 전 주인공이 네가 쓰지 못하도록 자기 프로그램을 버린 것 같아. 버리고 네 걸 훔쳤겠지."

"답이 없네."

"아니. 오히려 희망적이야. 본인 프로그램을 버린 건 신의 한 수였어."

나는 손사래를 치며 나의 추리에 확신을 불어 넣어갔다.

"네가 프로그램을 되찾으면 걘 자연스럽게 네 신세가 되겠지. 그 다음은 안 봐도 비디오일 거고."

"내 프로그램을 되찾는다고? 어떻게?"

칙칙하던 재연의 눈동자에 희망이 번져나갔다.

"방심할 때를 노려야지. 메인 엑스트라로 살아가면서 네가 겪었던 것처럼 지칠 때가 반드시 있을 거야. 프로그램을 끄거나 참지 못하고 약을 먹었을 때, 워치를 뺏어서 프로그램 칩을 빼앗으면 돼."

재연이 짧은 감탄사를 내뱉었다.

"너 천재구나?"

"전 주인공이 스스로 무덤을 판 거지. 아무에게나 다 다른 조건을 뿌리고 다니다니."

"간이 아주 배를 뚫고 나왔네."

"욕심 때문에 범죄나 저지르는 바보 같은 짓을 했지. 내가 충고해 줬는데도."

말하다 보니 전 주인공이 실패하게 된 이유, '어떠한 감정'이 떠올랐다.

"결국 실패한 이유는 사랑이었고, 주인공에게 다가가기 위해서 메인 엑스트라인 네 자리를 뺏은 거였어."

"여자에 미친 새끼라니까."

"지나치게 순수한 거지. 본인 감정에 솔직하고 목적을 이루기 위해서는 앞뒤 안 가리고 발악하는 철없는 애야."

"네가 더 나빠."

재연의 짐을 덜어준 것 같아서 조금 안도감을 느끼던 그때, 엑스트라들의 말소리가 강당에 울려 퍼졌다. 시계를 보니 한창 수업시간일 때였다. 나의 10분이 돌아올 시간도 다가오고 있었다.

"수업 중간에 장소를 바꾼 건가. 너, 일단 집으로 가."

"뭐?"

"퇴장에서 벗어났다 하더라도 12시간 이내에 주인공이랑 또 마주치면 바로 처분되는 거 몰라? 엑스트라들도 다 네 적이야. 그러니까 안전하게 집으로 가라고. 워치는 정지됐을 테니까 내 거 쓰고."

내 워치를 재연에게 전해주기 위해 주머니에 손을 넣었다.

"내가 가면 넌? 그 작전을 너 혼자 실행하겠다고?"

뜬금없이 재연이 내 발목을 잡았다.

"아니, 그럼 너 잡아가라고 광고하고 다닐 셈이야? 뭘 어떡할 건데?"

나의 다그침에 재연의 표정이 갑자기 침착해졌다. 농구공에서 일어나 공을 튕기며 바닥만을 응시했다.

"어차피 난 반은 퇴장당한 상태고, 네가 시간을 좀 늦춰준 거니까 널 돕다가…… 가는 것도 나쁘지 않을 것 같아서."

재연의 목소리가 점점 작아졌다. 저 말이 재연의 입에서 나온 것인지 의심스러워졌다. 나는 목소리를 높였다.

"대체 그게 무슨 소리야? 너 퇴장 안 당했어. 12시간만 안전하게 네 방에 숨어있으면 돼. 물론 가족 엑스트라들도 피해야 해서 좀 답답하겠지만, 그 12시간이 지난 후에 나를 도와도 아무 문제 없다고."

"그러냐."

내가 아는 재연의 모습이 아니었다. 이질감이 느껴지는 처진 눈빛이 나를 더욱 분노하게 만들었다.

자살이냐? 기껏 살려줬더니 자살하려는 거냐고.

입가에 맴도는 잔인한 말들이 목소리를 통해 화살로 날아가고 싶어 했다. 하지만 화살이 입 밖으로 나간다고 한들 좋아질 건 없다. 나는 길게 한숨을 쉬며 화살들을 부러뜨려 고운 바람으로 내보냈다.

"어릴 때 우리 둘이 동시에 일탈했던 거 기억나냐? 네가 밖으로 뛰쳐나간 나를 찾으러 왔었잖아. 그때 솔직히 고마웠다. 작은 틈도 없어야 했던 나한테 구멍투성이인 네가 날 안심시켜 준 거나 다름없었거든."

물론 넌 고맙다는 말을 들으려고 온 거였지만. 재연은 읽을 수 없는 표정을 지었다.

"우리의 일탈은 본질적으로 비난받을만한 행동이었지만 우린 전혀 아랑곳하지 않았어. 이 일이 우리 둘이서 하는 작은 일탈이라고 생각해 봐. 물론, 이제는 그런 일탈이 우리에게 큰 영향을 끼칠 수도 있지. 어릴 때와는 다르니까. 하지만 그래도 우리는 아직 어려. 무슨 말인지 알아? 너랑 난 충분히 우리의 일탈에 대해 책임질 수 있다고. 모든 것을 바로 잡기에도 충분해."

재연이 아무 말 없이 가만히 있었다. 무언가를 골똘히 생각하는 듯 미간에 주름을 지었다. 나는 조금 더 명료하게 설명했다.

"우선 작은 것부터 책임져봐. 네가 한 말에 대한 거. 네가 나랑 같이 주인공 자리를 차지하겠다면서. 네 말에 책임지고, 약속 지켜."

워치를 건네며 재연의 반응을 기다렸다. 나의 진실한 소리가 전달되었으면, 하는 마음밖에 없었다. 재연이 무언가 결심한 듯 고개를 들었다. 눈가에 자신감이 묻어나 있었다. 워치를 받으며 살짝 웃었다.

"돌아올 테니까 고생 좀 하고 있어라."

재연이 워치에 대고 자기 집 주소를 불렀다. 모습이 서서히 흐릿해졌다. 재연이 완전히 사라지기 직전에 내게 워치를 던져주며 말했다.

"고마워."

아무도 없는 체육 창고였지만 미세한 온기와 희망이 감돌고 있었다. 즉석에서 생각해낸 말이었음에도 불구하고 재연을 움직이기에 충분했던 것 같다. 긴장감이 조금 무뎌지는 것을 느끼며 프로그램을 켜기 위해 워치를 들었다.

'쾅쾅!'

창고를 두드리는 소리에 순간적으로 숨을 참았다. 웅성거리는 엑스트라들의 소리가 조금씩 가까워졌다.

"안 열리는데?"

운동 기구들에 걸린 문이 작은 틈을 보이며 열렸다가 닫히기를 반복했다. 그들이 문을 열어 나를 발견한다면 나를 수상쩍게 여길 것이 뻔했다. 나는 무거운 운동 기구들을 신속하게 옮기기 시작했다. 마지막 운동 기구까지 전부 치우자 새로운 목소리가 들려왔다.

"여기 사람 있어?"

우리를 '사람'이라 칭하는 건 주인공밖에 없다. 한 엑스트라가 답했다.

"있는 것 같은데 안 열려."

괜한 의심을 피하기 위해 자발적으로 문을 열었다. 조심히 당겨지던 문이 갑자기 내 쪽으로 훅 밀려왔다. 눈앞에 주인공이 있었다. 나는 뒷걸음질 치며 중심을 잡았다. 놀란 얼굴의 주인공이 물었다.

"괜찮아? 갇혀 있었어?"

이상했다. 주인공의 물음에도 프로그램이 켜지지 않았다. 일단 대답을 해보기로 했다.

"아니?"

# 13

　대답과 동시에 숨을 삼키며 놀랐다. 정말 말을 할 수 있을 거라 곤 상상도 하지 못했다. 내가 지금, 주인공 앞에서 프로그램 없 이 말을 하고 있다. 설마 전 주인공이 내 프로그램까지 뺏어간 것인가. 속이 메스꺼웠다.

"안 괜찮은 것 같은데? 일단 나와봐."

주인공이 뒤로 물러서며 나의 자리를 만들어주었다. 주인공 근처 에는 온통 우리 반 엑스트라들 뿐이었다. 수업 장소를 바꾼 반이 우리 반이었단 사실을 깨달았다. 엑스트라들이 나를 빤히 쳐다보 았다. 눈이 붉지는 않지만, 주인공이 없을 때 나를 퇴장시키려 고 달려들 것이라 확신했다. 확신의 다음은 실천이었다. 체육 창 고 밖으로 한 걸음 나왔다. 엑스트라들이 수군거리며 몇 걸음 물 러났다. 그때였다. 나는 주인공의 팔을 덥석 잡아 체육 창고 안 으로 끌어들인 다음 문을 닫았다. 주인공에게는 미안했지만, 상 황이 상황인지라, 마음속으로 용서를 빌었다.

"무슨……"

주인공이 황당해하며 눈을 크게 떴다. 나는 다급한 마음에 주인공에게 말도 하지 않은 채 치워놨던 운동 기구들을 다시 문 앞에 놓았다.

"뭐 하는 거야?"

화가 난듯했다. 머리를 최대한 굴렸다. 변명 거리를 생각해야 했다. 시야에 들어온 피구 공 하나가 나에게 영감을 주었다.

"아, 그게…… 체육 선생님이 피구 공을 찾기 전까지는 절대 나오지 말라고 하셨거든. 너랑 나한테. 하마터면 네가 크게 혼날 뻔했어."

말도 안 되는 변명에 표정이 저절로 구겨졌다. 프로그램 없이 말을 하는 나의 횡설수설한 모습이 어색해서 그런 것도 있었다.

"피구 공, 네 뒤에 있는 것 같은데?"

나는 공을 발로 차버렸다.

"이거 말고 검은색 찾으라고 하셨어."

적어도 나는 검은색 피구 공을 한 번도 본 적이 없다.

"나 참. 이상한 데서 까다로우시네."

순진한 건지, 나의 말을 곧이곧대로 믿는 주인공이었다. 그 덕에 생각할 시간을 조금 벌 수 있었다. 구석에서 공을 찾는 척하며 워치를 켰다. 예상대로 프로그램이 있어야 할 자리가 텅 비어있었다. 보고서도 없었다. 분명 예상했던 것이었지만 막상 눈으로 직접 보니 다리에 힘이 풀려 주저앉아버렸다.

"왜 그래? 어디 아파?"

"아니…… 공이 없어서."

"찾으면 나오겠지."

"……"

"……"

"근데 너 나 알아?"

"당연하지. 우리 같은 반이잖아."

"네 옆에 붙어 다니던 걔는 어딨어?"

"최재연? 글쎄. 오는 길에 어디 잠깐 다녀오겠다고 하고 사라졌어."

전 주인공에 대한 단서였지만 귀에 들어오지 않았다. 허락되지 않은 주인공과의 대화가 불안하면서도 긴장감 있을 뿐이었다. 자리를 옮겨 이 상황에서 벗어 날 만한 방법에 대해 고민했다. 심란한 머릿속에 번뜩이며 지나가는 존재가 있었다. 관찰자 2였다. 그 아이가 내가 주인공과 같이 있어 보고서를 적지 못하는 상황이라는 것을 증명해 주면 무사히 넘어갈 수 있을지도 모른다. 희망을 되찾은 나는 재빨리 관찰자 2의 위치를 확인했다.

'보건실?'

체육관과 거리가 있는 보건실이었다. 움직임은 없었다. 침대에 누워 있는 것이라고 추측했다. 직접 찾아가는 것 외에는 방법이 없어 보였다. 혼자 뛰어간다고 하더라도 엑스트라들의 수에 못 이겨 금방 따라잡힐 것이 뻔했다. 최선의 방법은…… 어쩔 수 없이 주인공을 데리고 가는 것뿐이었다.

"검은색 피구 공! 찾았다!"

주인공이 높이 들어 올린 손에 정말로 검은색 피구 공이 있었다. 나는 아연실색했다. 하지만 그것도 잠시, 주인공의 손에 붉은 상처가 나 있었다. 나는 가까이 다가가 물었다.

"이 상처는 뭐야?"

"공 꺼내다가 철사에 긁혔어. 아무것도 아니야."

말과는 다르게 핏방울이 맺혀있었다. 나는 운이 정말 좋다. 피를 보면서 할 말은 아니지만, 주인공의 피가 나의 운명이 된 셈이었다. 나는 조금 과장된 목소리로 말했다.

"뭐가 아무것도 아니야? 피나잖아. 빨리 보건실 가자."

나는 운동 기구들을 다시 치우고 주인공 앞에 두 손을 내밀었다.

이서는 어릴 때처럼 내 손을 잡았다. 본능적이었는지, 손을 빼는
이서를 다시 잡고 창고를 나왔다.
"진이서. 네 이름 맞지?"
엑스트라들의 시선이 우리에게 집중되었다.
"응? 응."
주인공에게 제안 없이 말할 수 있다는 자유로움 때문일까, 다시
프로그램을 찾았을 때는 지키지 못할 말을 해 버렸다.
"너랑 친해지고 싶어."

# 14

 우리는 체육관을 빠져나와 보건실로 달리기 시작했다.
"이렇게 급하게 갈 필요 있어?"
주인공의 입장에서는 남의 작은 상처에 지나치게 오지랖 부리는
애라고 생각할지도 모른다. 나는 뒤를 돌아 엑스트라들의 동태를
살폈다. 체육관을 빠져나와도 다들 쳐다만 볼 뿐, 아무도 따라오
지 않았다.
'왜지?'
붉은 눈도 아니었다. 주인공을 배려해 속도를 조금 줄였다. 그러
자 갑자기 엑스트라들이 우리에게 빠른 걸음으로 다가왔다. 그럼
그렇지, 눈이 붉었다.
"상처가 덧나면 안 되잖아!"
끝나지 않는 상처 핑계를 대며 다시 달리기 시작했다.
한참을 달리다 보니 보건실이 보이기 시작했다. 엑스트라들도 속
도를 내기 시작했다. 나를 보고 있었다. 분명히 그렇게 보였다.

"다들 왜 저래?"

뒤를 돌아본 주인공이 경악했다.

"다들 아파서 그래! 네가 먼저 가서 치료받고 와야지."

내가 생각해도 어이가 없었지만 넘어가기로 했다. 보건실 문을 열자마자 주인공을 들여보내고 재빨리 들어가 문을 닫았다. 데자뷔처럼 엑스트라들이 문을 두드렸다. 문을 잠그고 주인공을 아무도 없는 첫 번째 침실로 데려갔다. 보건 교사 엑스트라가 없는 상황이라 소독약과 붕대, 연고, 밴드 등등을 침대 위에 놓아주었다.

"상처가 심하니까 체육 수업은 좀 쉬어. 선생님한테는 말해 놓을 테니까……."

주인공이 당황해하며 소독약과 연고를 양손에 들었다.

"그리고 여기서 나오지 마! 애들한테 병균 옮을라!"

마지막 말과 함께 침실 문을 굳게 닫았다. 관찰자 2를 찾기 위해 사용 중인 침실을 찾았다. 제일 끝 네 번째 침실이 사용 중이었다. 급한 마음에 문을 벌컥 열었다. 관찰자 2가 뭔가를 손에 쥔 채 앉아있었다.

"뭐야, 너? 지금 네가 쓰고 있을 시간이잖아?"

관찰자 2가 놀란 눈으로 나를 보았다. 손에 쥐고 있는 것이 익숙해 자세히 보았다. 약봉지였다.

"너…… 그거 무슨 약이야?"

"복통 약."

'배 아파서 잠깐 있다 가려고.' 관찰자의 말이 더 이상 들리지 않았다.

"보건 교사 엑스트라는 지금 없는데, 누가 준 거야?"

'쾅쾅!' 문밖의 엑스트라들이 대화를 재촉했다.

"뭐야? 누구 퇴장당해?"

"누가 줬냐니까?"

내가 심각하게 반응하자 관찰자의 표정도 덩달아 심각해졌다.

"아니, 보건실 오니까 실패자가 있는 거야. 무시하고 누우려고 했는데 나한테 대뜸 아프냐고 묻더라? 거의 확신하면서. 그래서 아프다고 하니까 이 약을 줬어."

관찰자가 약봉지를 보여주었다.

"삼켰어?"

관찰자가 고개를 끄덕였다. 엑스트라들이 문을 뚫고 나올 기세로 흔들고 쳐댔다. 나는 이미 너무 지쳐있었다. 없던 복통도 생기는 것 같았다.

"걔가 의사야? 그걸 왜 먹어!"

관찰자가 나의 호소를 맞받아쳤다.

"뭐라도 안 먹으면 배가 아파서 미칠 것 같았는데 그럼 어떡해? 진통제라길래 그냥 먹었지!"

"그거 프로그램 중단 약이라고!"

"뭐?"

관찰자가 사색이 된 채 되물었다.

"전 주인공, 프로그램 뺏어서 메인 엑스트라도 됐잖아!"

"메, 메인 엑스트라? 실패자가?"

관찰자가 그때 교실에 없었다는 사실을 망각했다. 환장할 노릇이었다. 나는 차분하게 설명했다.

"그 녀석, 내 메인 엑스트라 친구한테 그거 먹여서 프로그램 뺏은 놈이야."

"그럼 밖에 있는 엑스트라들은 나를 퇴장 시키려고……."

정신이 완전히 나간 듯했다. 일단 타일러 보기로 했다.

"네 워치 줘 봐."

나라도 정신을 차려야 할 것 같았다. 나는 관찰자의 워치에 들어가 프로그램이 정말로 없는지 확인했다. 약을 먹은 지도 얼마 되지 않은 것 같은데, 벌써 프로그램이 없었다. 워치를 돌려주며 말했다.

"침착해. 일단 걔가 관찰자 2가 되었을 테니까 위치를 볼게."

나는 위치를 보자마자 뛸 수밖에 없었다. 실패자가 보건실 안에 있었다. 진료대 근처도 살피고 침실 문도 열어보았다.

쾅-

세 번째 침실에 실패자가 있었다. 녀석을 보자마자 정신을 뒤집은 채 달려들어 들었다. 실패자가 들고 있던 워치를 빼앗고 덮쳐서 제압했다. 너무 쉽게 제압당해서 어이가 없었다. 한 손으로 워치를 들고 한 손으로는 녀석의 목을 제압했다. 녀석이 낮은 목소리로 욕설을 뱉었다.

"그건 내가 하고 싶은 말이거든?"

나의 말에 녀석이 비릿하게 웃었다.

"그렇겠지. 너도 이제 쟤랑 같이 돼질 테니까!"

"무슨 말이야!"

"시간 개념도 없냐?"

순간 소름이 끼쳐 시계 쪽으로 시선을 돌렸다. 보고서를 제출해야 했던 시간이 지나있었다. 팔 힘이 느슨해진 것을 느꼈는지 녀석이 힘을 주며 벗어나려고 발버둥 쳤다. 한 손은 워치를 들고 있어서 힘이 달렸다. 그때, 관찰자가 녀석의 워치를 가지고 멀리 떨어졌다. 나는 두 손으로 다시 녀석을 제압했다.

"이 정신 나간 실패자야! 감히 내 프로그램을 뺏어?"

관찰자가 녀석의 워치에서 프로그램을 off 시키고 난 후 프로그램 칩을 뺐다.

"욕심이 과했네. 메인 엑스트라도 모자라 관찰자까지."

나는 떨리는 목소리로 녀석을 내려다보았다. 아무 생각도 들지 않았다. 녀석은 마지막까지 발악했다.

"이서가 날 봐주지 않아도 돼. 그런 건 하등 쓸모없는 감정이니까! 난 오직 주동 인물 자리만 있으면 돼!"

녀석이 사방에 침을 튀겨대며 눈을 부라렸다.

"주동 인물이 되면…… 그땐 이서가 날 봐줄 테니까!"

관찰자가 가위처럼 녀석의 말을 자르며 끼어들었다.

"시끄럽고! 너 쟤 친구 프로그램은 어디다 숨겼어!"

더 이상 녀석을 제압할 힘이 없었다. 녀석이 틈을 타 발길질로 나를 밀었다. 내가 휘청하며 넘어가자 그대로 관찰자에게 돌진했다. 나는 거의 정신력으로 주변에 있던 빗자루를 집어 녀석의 뒤에서 몸을 감아 속박했다.

"워치 안에 없으면 케이스 뒤쪽을 봐!"

"아! 있다!"

관찰자가 재연의 프로그램까지 회수하자 녀석이 난리를 쳤다. 밖은 여전히 엑스트라들로 시끄러웠다.

"빨리 보건실 문 열어!"

관찰자가 서둘러 자신의 프로그램을 다시 설치하고 보건실 문을 열었다. 엑스트라들이 프로그램이 없는 나와 실패자 쪽으로 달려들었다. 실패자는 나의 속박에서 벗어나 보건실 창문으로 뛰어내리려고 했다. 엑스트라들이 나를 지나쳐 뛰어내리려는 실패자에게 들러붙었다. 녀석은 목이 터져라 고함을 질렀다. 실패자는 그렇게 엑스트라들의 손에 이끌려 퇴장당했다. 보건실의 문이 닫히고, 밖이 드디어 고요해졌다. 하지만 나에게는 하나의 의문이 남아 있었다.

"자, 네 친구 프로그램."

"고마워."

나는 재연의 프로그램을 쥐고 관찰자에게 물었다.

"근데 너 나 퇴장 안 시켜?"

"퇴장? 내가 너를? 왜?"

프로그램이 없다는 사실은 얘기하지 못했다. 분명히 보고서도 제시간에 제출하지 못했는데, 엑스트라들은 왜 실패자만 퇴장시킨

것일까.

"아니야. 주인공 불러올게. 보고서 써."

나는 첫 번째 침실 앞에서 인기척을 낸 후 문을 열었다. 손에 밴드를 붙인 주인공이 앉은 채로 잠이 들어있었다. 이 큰 소동을 듣지 못해서 다행이라고 생각했다. 나는 주인공을 불렀다. 주인공이 살며시 눈을 뜨며 주위를 살폈다.

"응? 뭐야?"

"이제 됐어. 나와도 돼."

관찰자가 근처에서 나와 주인공의 대화를 적을 준비를 했다. 기분이 묘했다.

# 15

 학교를 마치고 학원을 가고, 집으로 갈 때도 아무도 나를 퇴장
시키지 않았다. 퇴장은커녕 그저 평소처럼 평범한 엑스트라일 뿐
이었다.

다음 날, 학교에 일찍 도착했다. 아무도 없는 교실에 주인공 혼
자 앉아서 공부를 하고 있었다. 내 자리에 앉아 멀뚱히 주인공의
뒷모습을 바라보았다. 참 이상했다. 원래 같았으면 볼펜을 몇 번
돌리는지, 머리카락을 몇 번이나 쓸어넘기는지 같은 것들을 적고
있어야 했다. 아무런 준비 없이 찾아온 이 자유가 당혹스럽기만
했다. 주인공에게 맞춰져 있던 나의 모든 생활이 갈라지고 흐트
러졌다. 주인공에게 접근할 수 있는 범위라든가, 먼저 말을 걸면
안 된다는 법칙도 적용되지 않았다. 모든 것이 나의 의지였다.
시선과 행동, 말. 모든 선택이 내게 맡겨졌다. 나는 주인공에게
서 시선을 거두고 책상을 내려다보았다. 이 빈 책상에 내가 올려
놓고 싶은 것이 있다면, 연습장이었다. 가방에서 연습장을 꺼내

빈 교실을 그림으로 남기기 시작했다. 전자파에 찌든 피곤한 눈으로 교실을 보지 않았다. 워치의 타자 소리가 아니라 사각거리는 연필 소리라서 좋았다. 이 느닷없는 자유를 한 번 즐겨보기로 했다. 물론 주인공을 성공시키는 일도 허투루 하지 않을 것이다. 프로그램 없이, '나'로도 주인공 앞에서 당당히 연기할 수 있다는 것을 증명하고 싶었다.

주머니에 손을 찔러 넣었다. 프로그램 칩이 잡혔다. 재연의 것이었다. 프로그램이 없으니 오늘도 학교에 나오지 않겠지. 학교가 끝나면 집으로 찾아가 전해줘야겠다, 생각한 지 10초도 지나지 않았다. 복도에서부터 무거운 발걸음 소리가 들리더니 뒷문 앞에서 멈췄다. 불길한 예감은 틀린 적이 없다. 재연이 요란하게 문을 열며 들어왔다. 식겁한 나는 주인공이 보기 전에 재연을 밖으로 밀치고 문을 닫았다. 큰 소리에 놀란 주인공이 뒤를 돌아보았다.

"아, 미안."

소리를 낸 것에 대신 사과하며 교실을 나왔다.

"드디어 미쳤냐?"

문을 닫자마자 태도를 바꿨다. 재연의 생태는 굉장히 좋아 보였다.

"야, 실패자 그 새끼 퇴장당했다면서? 그 기사 보고 겁나 통쾌해서 집에 있을 수가 있어야지."

재연이 상기된 얼굴로 큰 웃음을 지었다.

"방금 주인공이랑 마주쳤으면 너 퇴장당했어! 그나마 교실에 아무도 없었으니까 망정이지."

"그래서 일찍 왔잖아."

나는 고개를 내저으며 주머니에서 프로그램 칩을 꺼냈다.

"네 프로그램."

"고생했다."

재연이 워치에 프로그램을 심었다. 성공적이었다.

"일탈 한번 맛깔나게 했다."

프로그램을 켠 재연은 차분하게 교실로 들어갔다. 그런 재연에게 나의 자유에 대해서는 차마 말할 수 없었다.

쉬는 시간이었다. 오늘 처음으로 제대로 수업을 들었다. 책에 줄도 긋고 수업에 집중하다 보니 주인공은 나의 인식에서 벗어난 지 오래였다. 교실을 벗어나 다시 들어오려던 참이었다. 주인공의 시선이 닿지 않는 문 근처에 누가 봐도 수상쩍어 보이는 엑스트라가 있었다. 자연스럽게 실패자가 연상되었다. 나는 엑스트라에게 다가갔다. 내가 온 걸 아는지 모르는지 오로지 주인공만 뚫어져라 보며 워치를 만지작거렸다.

"뭐해?"

엑스트라가 화들짝 놀라며 뒤를 돌았다. 나는 워치에서 믿을 수 없는 것을 보았다.

"보고서? 네가 보고서를 왜 써?"

엑스트라는 나보다 더 의문스러운 눈빛으로 나를 보았다.

"나는 관찰자니까."

"뭐? 네가?"

"난 처음부터 관찰자였어. 방해하지 말아줘."

엑스트라는 벌레 쫓듯이 나를 외면했다. 내가 아니라 얘가 관찰자라고? 일단 엑스트라에게서 멀리 떨어져 워치를 켰다. 검색창을 켜 이런 비슷한 사례가 있는지 찾아보았다. 스크롤을 내리다가 어떤 기사를 보고 저절로 손이 멈칫했다.

'설정 오류 엑스트라, 프로그램에도 오류가?'

설정 오류 엑스트라. 맞다. 아저씨가 소름 끼쳐 했던 그 극소수의 그래픽들이다. 설정 오류 엑스트라의 특성을 다시 한번 떠올려보았다. 그들의 불안정한 설정이 그들의 프로그램을 밀어내기 때문에 프로그램이 시키는 연기를 잘 소화해 내지 못한다……

"잠깐."

나는 기사 내용 전체를 훑기 시작했다. 극소수의 그래픽이라 프로그램의 영향을 받지 않은 한 엑스트라가 시스템의 정기 점검에 의해 뒤늦게 프로그램이 없었다는 사실이 발각되어 퇴장되었다는 내용이었다.

"하……."

나는 얼굴을 문지르며 한숨을 쉬었다.

"내가 그 극소수였나."

내 프로그램은 그래도 꽤 성실하게 작동했었다. 그래서 더욱 생각지 못했다. 원인은 프로그램 중단 약 때문인 것 같다. 위태로웠던 나의 프로그램을 완전히 튕겨버린 무모한 행동이었던 것이다. 내 프로그램을 소유한 관찰자를 쳐다보았다. 아마 그래픽들 중 무작위로 내 프로그램을 전이 받았겠지. 고개를 들었다. 코끝이 시큰해졌다. 내가 정말 한심스러웠다. 물론 그때로 돌아가 변명을 해보자면 어쩔 수 없었다고 말하고 싶다. 하지만 다른 방법을 찾았어야만 했다. 그 어떤 다른 선택을 했더라도 지금보다는 나았을 것이다. 자유를 받은 대신 시한부 인생도 같이 받게 되었다. 내 안의 수많은 나에 대한 믿음이 산산조각 났다. 녹아내렸다. 내 안에서 사라졌다. 아저씨의 경고, 메인 엑스트라 면접 탈락. 그때부터 알아봤어야 했는데.

난 정말

"진짜……."

이것밖에 안 되는 놈이었나.


"그럼 이번 주 토요일에 도서관에서 모이는 걸로 하자."

재연이 노트에 무언가를 적으며 말했다.

"그럼 거기서 자료 조사도 하면 되겠다."

주인공이 의자에 기댄 채 말했다. 독서 신문을 만드는 수행평가에 관한 대화 내용이다. 나와 재연, 주인공이 한 조였다.

"어디 안 좋아?"

주인공이 내게 물었다.

"아니."

나도 모르게 표정이 굳은 모양이었다. 차라리 프로그램이 있었을 때가 더 나았던 것 같다. 내가 무능하고 멍청하게 느껴졌다. 그걸 깨달은 오늘은 정말 운수 좋은 날이었다.

토요일, 약속 시간에 맞춰 도서관으로 향했다. 도서관에 온 건 오랜만이었다. 안은 엑스트라들로 풀 세팅되어 있었다. 다들 서서 책을 읽거나 노트북을 들여다보고 있었다. 그러던 중 재연을 발견했다. 마찬가지로 노트북을 펼쳐보고 있었다.

"일찍 왔네."

"프로그램이 하도 난리를 쳐서."

"뭐 하고 있었어?"

"자료 조사."

"주인공 오면 같이 해."

"너도 이제 곧 프로그램이 시킬 거 아니야?"

"그렇겠지."

재연이 나를 노려보았다.

"너 왜 나 속이냐?"

"뭐가."

알 수 없는 말이었지만 나는 별 대수롭지 않아 했다. 하지만 재연의 다음 말은 충격적이었다.

"뭐가? 장난하냐? 너 프로그램 없잖아."

심장이 내려앉을 정도로 놀랐다. 가빠지는 호흡을 정리하며 담담하게 물었다.

"어떻게 알았어?"

"내가 프로그램이랑 너도 구별 못 할 것 같냐? 왜 없어졌는지나

말해. 설마 약 때문이냐?"

재연의 굳건한 눈빛에 숨김없이 얘기하기로 했다.

"…… 내가 설정 오류 엑스트라라서 그래."

재연이 나지막이 욕설을 뱉었다. 무거운 침묵이 이어졌다.

"딴 애들은 몰라?"

"원래 본인들만 알잖아."

나보다 본인이 더 초조해 보였다. 나는 할 말이 없어 가만히 있었다. 재연이 알고 있을 줄은 몰랐다. 어째 일이 더 꼬여버린 것 같은 기분이었다. 나의 작은 한숨에 재연이 의자를 박차고 일어났다.

"야, 잘 들어라. 솔직히 뭔 상관이야? 걔네 어차피 점검도 몇 년에 한 번씩 하고 잘하면 이번 주인 실패할 때까지도 안 할 수 있어. 그리고 누가 너 퇴장당하는 거 가만히 보고만 있겠대?"

그 말에 속이 울렁거렸다. 정말 난 살 수 있을까?

"알겠으니까 진정해. 여기 도서관이라고."

"한 번만 더 한숨 쉬면 죽는다."

재연이 말을 끝내자마자 주변의 눈치를 보며 자리에 앉았다. 앉자마자 노트북만 들여다봤다. 왜 그런가 했더니 뒤에서 주인공이 우리에게 오고 있었다.

"여기 있었네?"

주인공의 등장과 함께 셋이서 나란히 앉은 채 빌린 책을 읽고 자료 조사를 하기 시작했다.

"인터뷰 형식이 좋을까?"

"편지글 형식으로 하는 게 좋을 것 같아."

나는 둘의 대화에도 끼지 못하고 꿋꿋이 자료 조사만 하고 있었다. 물론 속은 조사고 뭐고 난장판이었지만.

"그럼 다 된 거 같네. 수고했어. 자, 해산!"

주인공이 조용히 손뼉을 치며 잠시 자리를 비웠다.

"야."

노트를 정리하던 중 재연이 나를 불렀다.

"…… 괜찮을 거야."

재연 특유의 허세가 깃들어있지 않은 진심 어린 목소리였다. 나는 아무런 표정 없이 고개를 끄덕였다. 겉모습과는 다르게 불안정했던 심장 박동이 차분해졌다. 재연이 몸을 완전히 내 쪽으로 틀었다.

"너나 내가 주인이 돼서 모든 게 다시 리셋되면, 괜찮을 거야."

"……."

재연은 마치 나보고 주인공의 자리를 빼앗으라고 하는 것 같았다. 하라면 어떤 방법을 쓰더라도 주인공을 끌어내릴 수 있다. 나는 그럴 수 있으니까.

"네가 주인공이 되면 내가 기꺼이 메인 엑스트라가 돼 줄게."

나는 원래 재연에게 하던 것처럼 장난스럽게 얘기했다. 나의 별 뜻 없는 말에 갑자기 재연의 표정이 씁쓸해졌다.

"전엔 내가 주인이 되면 모든 게 잘 될 줄 알았는데, 지금 생각해 보니까 불안하다."

"왜?"

"내가 내 행동을 통제하지 못할까 봐."

재연의 불안이 어느 정도 이해됐다. 지금도 스스로를 자책하고 있을 것이다.

"원래 대부분 프로그램에서 벗어나면 그래. 이제까지는 엑스트라로서 프로그램의 울타리 안에서 살아왔잖아."

나는 창밖을 바라보았다.

"다른 주인공들도 다 그랬어. 달면 삼키고, 쓰면 뱉었지. 다들 경험하면서 성장해 가는 거야. 그게 주인공이 되는 과정 중 하나잖아. 답지 않게 왜 시작 전부터 쫄아있어."

"지는."

재연이 노트북을 넣은 가방을 어깨에 멨다.

"넌 단 거에 환장하니까 그런 불안함도 다 삼켜버려."

"허? 어이없네. 간다."

재연이 가벼운 발걸음으로 도서관을 빠져나갔다. 나도 가방에 노트를 넣으려던 참이었다.

"아직 안 갔네?"

주인공이 걸어오며 말했다.

"이제 가려고."

잠깐, 잠깐. 하며 주인공이 나를 멈춰 세웠다.

"너 책 읽는 거 좋아해?"

"그런 편이지."

"그럼 도서관 온 김에 책 추천 좀 해 줘."

나는 군말 없이 책을 고르기 시작했다. 주인공은 다른 쪽에 꽂힌 책들을 유심히 살펴보고 있었다.

욕심이 생겼다. 주인공의 자리를 빼앗고 내가 주인공이 된다면, 모든 것을 바로잡을 수 있다. 주인공이 성공하게 되면 나에게 기회가 언제 올지도 모르는 일이었다. 지금은 한낱 정을 생각할 때가 아니었다. 하지만 막막했다. 주인공이 어떻게 나 같은 걸 부러워할까. 어느샌가 주인공이 내 책장까지 넘어왔다. 그리고 나에게 뜬금없는 질문을 했다.

"넌 서점이 좋아, 도서관이 좋아?"

"서점. 도서관은 다시 돌려줘야 하잖아."

나는 서점은 자주 가지만 도서관은 거의 가지 않는다. 빌린 책을 돌려주기가 싫어서다. 내 것이라고 생각했던 것들이 떠나가는 것이 어색하다.

"그래? 나는 도서관이 더 좋아. 다른 사람들이 얼마나 이 책을 읽었는지도 알 수 있고 어떤 마음으로 책장을 넘겼는지도 가끔 보이거든. 그리고 빌린 건 소중히 다뤄야 하지."

내가 아래에 있는 책들을 보기 위해 몸을 숙이자 주인공도 같이 숙였다.

"그런데 이건 우리도 마찬가지인 것 같아. 좀 슬프지만, 우리 몸은 영원히 우리의 것이 아니잖아? 잠깐 빌리는 거지. 그러니까 더 소중하게 다뤄야 해."

"왜 갑자기 그런 말을 해?"

주인공이 내 눈치를 보며 말했다.

"너 며칠 전부터 좀 아파 보여서 공부 때문에 너를 혹사하는 게 아닌가, 하고?"

뜬금없는 섬세함에 저절로 고개가 돌아갔다.

"넌 다 뜬금없구나. 언제부터 나한테 그렇게 관심이 많았다고."

"네가 나랑 친해지고 싶다고 했잖아."

정말, 곤란했다. 이런 애의 자리를 어떻게 빼앗을 수 있겠어.

# 16

 집에 돌아와 밀린 학원 숙제를 해치우고 있었다. 일단 사는 데까지는 살아야 하니 숙제도 마음대로 안 할 수 없었다. 어느덧 해는 어둡게 저물었다. 잠깐 쉬는 시간을 가지기 위해 워치를 켰을 때였다. 한동안 조용하던 워치가 오래간만에 울려댔다. 별생각 없이 내용을 확인했다.

'실종된 메인 엑스트라를 찾습니다. 발견 즉시 퇴장시키기 바랍니다.'

밑에는 엑스트라의 사진과 설정이 같이 첨부되어 있었다. 주인공의 친동생 설정으로, 5살의 작은 아이였다. 순간 몸이 움찔했다. 온 동네를 뒤지며 동생을 찾는 주인공의 모습이 그려졌다.

"나 참……."

이건 쓸데없는 오지랖이다, 인지하면서도 나는 메인 엑스트라의 인상착의를 확인한 후 겉옷을 걸쳤다.

워치로 주인공의 위치를 확인한 후 근처에 있는 집 주소를 불러 이동했다.

"5살 애가 가봤자 얼마나 가겠어."

나는 주위를 살피며 메인 엑스트라를 찾아다녔다. 고요한 밤거리에 익숙한 목소리가 메아리쳤다. 뚜렷한 주인공의 목소리였다. 메인 엑스트라의 이름을 부르는 소리가 점점 가까워졌다. 순간적으로 숨어야겠다는 생각에 근처 어두운 골목에 몸을 숨겼다. 예상대로 주인공이 나타났다. 동생의 메아리가 들려오기를 간곡히 기다리는 모습이었다. 이쪽을 보지 못한 채 지나쳤다.

"흑흑……."

가까이에서 나는 울음소리에 순간 오한이 들어 뒤를 돌아보았다. 나처럼 어둠에 몸을 숨긴 한 아이가 엎드린 채 울고 있었다. 익숙한 인상착의였다. 얼떨결에 실종된 엑스트라를 찾게 된 셈이었다. 나를 발견한 아이는 소스라치게 놀라며 허겁지겁 도망갈 준비를 했다. 나는 아이의 앞에서 몸을 웅크렸다.

"나는 너를 퇴장시키지 않아. 프로그램이 없거든."

"거짓말!"

내가 텅 빈 프로그램 자리를 보여주자 그제야 아이는 조금 안심한 듯 주춤했다. 아직 어려서 프로그램이 없다는 것이 이례적이라는 것을 모르는 듯했다.

"너 주인공 동생 맞지?"

아이는 아직 나를 경계했다. 나는 아예 바닥에 앉아서 똑같이 물었다. 아이는 여전히 의심의 눈초리로 나를 노려보았고, 나는 여유롭다는 듯이 워치를 들여다보았다. 침묵이 이어지다가 아이가 기어들어가는 목소리로 대답했다.

"네에……."

나는 워치를 끄고 아이와 눈을 마주쳤다.

"주인공 언니가 싫어?"

"아니에요!"

아이는 날카로운 즉답을 날리고 다시 의기소침해졌다. 얘가 집 밖을 나온 이유는 딱히 궁금하지 않았다. 작은 불화에 홧김에 나온 것이라고 짐작했다.

"지금 언니가 온 동네를 뒤질 기세로 널 찾고 있는 건 알지? 네가 빨리 돌아가지 않으면 언니는 네가 자길 싫어한다고 생각할 거야."

"그, 그럼 더 안 돌아갈 거예요!"

생각지도 못한 아이의 반응에 입이 저절로 벌어졌다.

"아니, 왜?"

"언니가 나를 너무 좋아해서 나온 거니까요."

나는 겉옷을 벗어 아이 뒤의 바닥에 놓았다.

"앉아봐."

아이는 순순히 털썩 주저앉았다.

"방금 한 말의 뜻이 궁금해."

아이는 손가락을 꼼지락거리며 머뭇거렸다.

"말 그대로인데. 언니는 나한테 너무 잘 해줘요. 내가 진짜 동생인 것처럼요. 나도 언니를 사랑하는데 언니는 내가 가짜라는 걸 모르니까 언니를 속이는 것 같아서 여기가 아파요."

아이는 자신의 왼쪽 가슴을 가리켰다. 그런 이유였다니, 부수지 못하는 벽을 만난 것 같은 기분이 들었다. 아이도 같은 마음이겠지. 우리는 그저 주인공을 위해 존재하는 엑스트라들일 뿐이니까. 언제 처분되어도 이상하지 않을 나는 아이에게 솔직하게 이야기했다.

"네 말 다 맞아. 하지만 네가 언니를 사랑하는 마음도 가짜니?"

"말도 안 돼요!"

"그렇지? 그런데 지금, 사랑하는 언니가 너를 찾고 있어. 어떡해야 할까?"

"다, 당장 언니한테 가야 해요……."

확신의 대답을 듣긴 했지만 아이는 아직도 돌아가는 것을 꺼려했다.

"죄책감이 들어? 저기, 가족이라는 건 말이야, 서로 조건 없이 사랑해 주는 거야. 너희도 그런 관계고."

"나는 진짜 언니 동생이 아닌데……."

"그러면 뭐 문제 있나? 그럼, 이제껏 언니가 줬던 관심과 애정에 보답한다고 생각하고 마지막으로 언니를 만나러 가자."

"왜 마지막이에요?"

아이의 눈에 투명한 눈물이 고였다.

"작별 인사라도 해야지. 네가 진짜 동생이 아니라면서 이렇게 도망까지 왔잖아. 언니는 평생 그걸 모를 텐데도. 언니는 이유도 모른 채 슬퍼만 하고 있을 거야."

아이는 숨을 거칠게 내쉬며 울었다. 마지막 질문이라고 직감했다.

"그래도 정말 마지막 인사를 하러 갈 거야?"

"싫어요! 난 언제나 언니 동생 할 거예요!"

아이는 벌떡 일어나 씩씩하게 눈물을 닦았다.

"그래. 넌 영원히 진이서의 자랑스러운 동생이야."

나는 아이의 머리를 쓰다듬으며 주인공의 위치를 보았다. 이쪽 방향으로 오고 있었다. 내가 말도 안 했는데 아이는 스스로 프로그램을 다시 켰다. 주인공과의 거리가 거의 가까워졌을 때 나는 아이 손을 잡고 자연스럽게 골목을 나왔다. 고개를 돌려 주인공과 눈을 마주쳤고, 아이가 먼저 주인공에게 뛰어갔다.

"언니!"

둘은 눈물을 흘리며 따스한 품을 나누었다.


"그냥 골목 지나가다가 봐서 파출소에 데려다주려고 했어."

주인공의 집 앞 놀이터였다. 나는 바로 가려고 했지만, 주인공이 나를 붙잡아 억지로 그네에 앉혔다. 자기는 아이가 타고 있는 옆 그네를 밀어주고 있었다.

"진짜 고마워. 사례금이라도 줄까?"

"됐어."

"언니! 나 미끄럼틀 타고 있을래!"

"뭐? 안돼! 언니랑 꼭 붙어있어!"

아이는 장난스럽게 고개를 들어 주인공을 올려다보았다.

"언니 걱정시켜서 미안해. 이제는 진짜 어디 안 가."

주인공은 잠시 눈을 감고 고민하는 듯했다.

"알았어. 멀리 가면 안 돼?"

주인공은 아이가 떠난 빈 그네만 멀리 밀었다.

"뭐 하냐?"

"나…… 너무 최악인 것 같아. 하나뿐인 동생 집 나가게 하고. 진짜 쓸모없어."

"야."

열이 올랐다. 물론 주인공의 입장도 이해하지만, 우리가 누구 때문에 살고 있는지 알면 넌 그 말을 다시 할 수 있을까.

"일단 앉아봐."

나는 빈 그네를 쳐다보며 말했다. 이서는, 아니 주인공은 순순히 그네에 앉았다. 나는 용기 있게 감히 가치를 매길 수 없는 주인공의 가치에 대해서 설명하기 시작했다.

"만약에, 넌 주인공이고 다른 사람들은 모두 엑스트라야. 우리는 모두 네가 없으면 존재할 수 없어. 물론 그들이 너를 선택하긴 했어도 네가 그런 말을 하면 듣는 엑스트라들은 기분이 어떻겠어?"

주인공이 갑자기 웃음을 터뜨렸다.

"언제는 나더러 뜬금없다더니, 네가 더 뜬금없는데? 무슨 질문이 그래."

"그럼, 뜬금없는 내 질문에 대답해 봐. 내 기분이 어떻겠어?"

나의 진지한 말투에 주인공은 무안해했다.

"그게, 예시가 독특해서 잘 모르겠는데……."

"화나. 그들도 그렇지만 너도 어렵게 온 자리인데 네가 주인공이라는 걸 깨달아야 그들도 뿌듯하지 않겠어?"

주인공이, 아니 이서가 그네를 조금씩 움직였다.

"너 위로 방법이 독특한 거 같아. 근데……."

이서의 눈가가 촉촉해졌다. 동생과 똑 닮아 있었다.

"너무 위로가 돼."

그 표정을 보면 누구든지 나를 이해할 수 있을 것이다. 나는 결코 이서의 자리를 빼앗을 수 없다. 멍청하고 한심하다고 생각해도 좋다. 어디까지나 사실이니까.

"하지만 집을 나간 건 내 잘못이 맞는걸."

이서가 미끄럼틀을 타고 있는 아이를 아픈 눈으로 바라보았다.

"네 잘못이 아니야. 네 잘못이라고 하더라도 아무도 너를 진심으로 쓸모없다고 생각 안 해."

이서가 믿을 수 없다는 듯이 나를 쳐다보았다.

"너만 인정하면 되는 거야."

네 옆의 엑스트라들은, 네가 무척이나 소중하니까.

우리의 주인공이 자신의 가치를 완전히 깨달은 그 순간을 상상했기 때문일까, 나도 모르게 미소가 지어졌다. 고개를 들어 밤하늘을 눈에 담았다. 이상하리만큼 하얬고, 빛났고, 몽롱했다.

# 17

[ 이서 ]

잊고 있었던 모든 기억이 폭풍처럼 휘몰아쳤다. 눈을 뜬 이곳은 내 방이었다. 햇살이 나를 매섭게 쏘아보고 있었다. 이상했다. 나는 분명 '주연'과 같이…….

'띠링.'

아, 워치가 울렸다. 확인해 보자.

"헉!"

눈을 의심하며 워치를 멀리 던졌다. 아니야, 그럴 리 없어.

'주동 인물 [진이서], 귀하는 실패했습니다.'

"생각해 보자……."

이게 도대체 무슨 상황인지.

나는 메인 엑스트라 진이서였다. 기억상으로는 몇 시간 전까지만 해도. 그래. 돌아오지 못했던 기억 하나가 이제야 돌아왔구나. 영문도 모른 채 주연이 되던 그 순간의 기억. 나는 주연이 되었었다. 그런데 실패했다고? 이불을 머리끝까지 뒤집어쓰고 외마디

114

비명을 질렀다. 잠깐, 잠깐. 지금 이럴 때가 아니었다. 나는 지금 엑스트라도, 뭣도 아니니 역할을 신청해야 한다. 워치를 켜자마자 엑스트라 신청 사이트가 떴다. 빠르게 메인 엑스트라를 신청했다. 온전치 않은 정신으로 자기소개서를 써 내려갔다. 신청 접수가 완료되고, 한숨을 돌렸다. 문득 주연이 누구인지 궁금해졌다. 주연이었던 내가 나보다 더 큰 존재라고 생각한 엑스트라가 누구인지.

 면접을 보고 나오는 길이었다. 나는 또다시 메인 엑스트라가 되었다. 사실은 밖에 나가고 싶지 않았다. 아무도 마주치고 싶지 않았다. '실패자'라는 꼬리표가 평생 붙어 다니는 것이 두려웠다. 전 주연이 처분되었다는 소식을 면접관의 입을 통해 들었을 때는 그냥 울면서 뛰쳐나오고 싶었다. 두 번째 자리에 앉은 매서운 인상의 면접관은 내가 메인 엑스트라가 되는 것을 언짢아하는 듯했다. 면접관은 나를 실패자라고 불렀다. 그녀는 특별히 자리를 내주는 것이라며 생색을 냈다. 나는 너무 무서웠다. 앞으로도 얼마나 많은 엑스트라들이 나를 실패자라고 부르며 조롱할까, 내 옆에 섰던 메인 엑스트라들이 복수를 하러 오진 않을까. 꼬리에 꼬리를 무는 생각은 멈출 줄을 몰랐고, 나는 너무 어지러웠다. 눈앞이 흐려지기 시작했다. 집으로 가기 위해 워치를 꺼냈다.
"스톱!"
거친 목소리에 등골이 오싹해졌다.
"멈추라는 말 안 들려?"
나를 향한 말인지 확인도 하지 않은 채 우뚝 멈춰 섰다.
"잠깐 나랑 얘기 좀."
바로 뒤에서 풍겨오는 진지한 분위기가 나에게 제대로 전달되었다. 뒤를 돌아보았다. 어딘가 묘하게 익숙한 엑스트라가 서 있었다.
"네, 네가 누군데?"

"나는…… 네 메인 엑스트라였어."

그 애는 자신을 '최재연'이라는 이름으로 소개하고 나를 근처 카페로 데려갔다.

"진짜네."

'전 메인 엑스트라 [최재연]'. 워치에 남겨진 기록을 본 후에야 의심을 완전히 거둘 수 있었다. 하지만 어째서 나를 찾아온 거지? 나는 계속 긴장하며 앉아있었다. 그 애가 음료수 두 개를 가지고 자리로 왔다. 글쎄, 나는 시킨 적도 없는데. 자리에 앉기 무섭게 음료 하나를 내 쪽으로 슬쩍 밀더니, 나머지 하나는 10초도 채 안 되어 전부 마셔버렸다. 보기만 해도 속이 끈적했다. 단 걸 엄청나게 좋아하는 듯했다. 갑자기 고개가 저절로 숙여졌다. 얘는 내 메인 엑스트라였으니 바닥을 치는 내 게이지를 전부 봐왔겠지. 창피했다. 겉으로만 나를 사랑하는 척 연기하는 내 모습을 상상하니 손에서 땀이 났다. 웃는 척, 대인배 인척. 이 카페 안에도 메인 엑스트라였던 이가 있다면 나를 얼마나 한심하게 생각할까. '저런 게 무슨 주연이라고.'

"……."

시선이 느껴졌다. 최재연이라는 엑스트라가 뭔가 할 말이 있는 듯 나를 쳐다보고 있었다. 계속 이러고 있을 수는 없으니 포기하고 고개를 들었다.

"야, 이거 먹을 거냐?"

자기가 가져온 내 쪽에 놓인 음료를 가리키며 한 말이었다.

"난 딸기 싫어해……."

"그럼 내가 먹어줄게."

그러고는 이번에도 순식간에 음료를 마셔버렸다. 뭐지? 두 번째 음료까지 마신 엑스트라는 그제야 제대로 된 얘길 하기 시작했다.

"의외다? 왜 먹냐고 뺏어갈 줄 알았는데."

"내가?"

나의 불안정한 목소리에 엑스트라의 심기가 불편해진 것 같다.

"아니, 내가 협박이라도 했어? 왜 이렇게 주눅이 들어있어?"

말없이 시선을 피하자 엑스트라는 답답하다는 듯 얼음을 씹었다. 순간 울컥했다. 큰 목소리에 엑스트라들의 시선이 모였다가 사라졌다. 집에 가고 싶었다. 애써 숨기려고 했던 내 표정이 읽혔는지, 엑스트라가 대뜸 사과를 했다.

"미안. 이러려고 부른 건 아니고, 다른 할 말이 있어서 불렀어."

"뭔데……?"

그 애는 잠시 뜸을 들였다.

"넌 지금 주인이 누군지 잘 모르지?"

"알아. 누군지."

주연 정예훈. 최근에도 한 번 봤지? 서점에서 말이야. 학교에서 틀어준 교육 영상에서부터 낯이 익었었는데 역시 너였어. 그 애는 내 첫 친구였다. 유치원도, 학교도 가지 않아 또래 친구를 만날 일 없이 지내던 그 시절, 우연 치 않게 나와 친구가 돼 준 그 친구. 기억이 잘 나지 않지만, 그 옆에 있던 한 명은 생각이……

앗, 순간적으로 앞의 엑스트라와 그 애가 겹쳐 보였다.

"설마 네가 어릴 때 정예훈 옆에 있었던 걔야?"

"나를 알아보네? 나는 설명 듣고도 몰랐는데."

추억을 상상하는 듯한 즐거운 눈빛이었다. 하지만 나는 그 애가 주연이 되었다고 생각하니, 유일하게 비에 젖지 않은 티셔츠에 흙탕물을 뒤집어쓴 것같이 찜찜한 기분이 들었다. 왜냐하면 나는 주연을 원망하니까. 어릴 때부터 변함없이.

"그 녀석, 말도 없이 가고. 치사한 놈."

"그 애도 만약 실패하면…… 실패자로…….."

덜컥 겁이 났다. 나의 고마운 친구가 실패자로 낙인찍히는 끔찍

한 생각이 스멀스멀 올라왔다. 최재연은 그런 나를 의문스러운 표정으로 쳐다보았다.

"메인 엑스트라들은 언제든지 주인이 돼서 실패할 수 있는데, 넌 겁도 많으면서 무슨 깡으로 메인이 됐냐?"

"욕심은 없었어. 사회적으로 강요받았지. 솔직하게 말하면 난 주연이 싫어."

그 애는 뭘 어떻게 이해한 건지 천천히 고개를 끄덕였다.

"난 그냥 정해진 100년 동안 내가 좋아하는 엑스트라들이랑 살고 싶을 뿐인데, 엑스트라들은 매번 바뀌어서 정을 줄 수가 없어. 그래서 얕은 관계만 만들 수 있는 시스템 자체가 싫어. 주연은 원망스럽고."

나는 눈을 질끈 감고 마저 이야기를 끝냈다.

"심지어 주연이 됐는데도 실패했으니 난 진정한 실패자야."

"아닐걸?"

최재연이 즉답했다. 이해할 수 없는 대답에 다시 눈을 떴다. 그 애가 잠시 생각하더니 말했다.

"나랑 정예훈은 10살 때부터 같이 다녔어. 네가 말한 얕은 관계의 엑스트라들은 그냥 지나가는 엑스트라들일 뿐이었겠지. 언젠가는 너랑 맞는 엑스트라들을 만날 수 있지 않겠냐?"

생각보다 차분한 말투에 기분이 조금 어색해졌다.

"그리고 네가 단단히 착각하고 있는 게 있는데, 너 잘했어."

"잘했다니?"

생각지도 못한 엑스트라에게 생각지도 못한 말을 받았다.

"평균 게이지도 다른 주인들보다 높았고, 아 씨. 오글거리는데. 누가 봐도 주인이었어. 넌. 현재 진행형이야. 사회가 정한 그 개같은 호칭에서 벗어나."

"…… 그걸 어떻게 확신해?"

"내가 네 전담 따까리였으니까."

최재연이 허탈한 듯 웃었다. 무언가 조금, 용기가 났다. 용기라고 부를 수 있을 만큼 커다란 감정이 나를 두드렸다.

"그래서 내가 하고 싶은 말은, 이번 주인 잘 도와주자고. 같은 메인들끼리. 너도 메인 엑스트라잖냐. 나도 이번에 또 메인 엑스트라가 됐고."

나는 그제야 입을 다물고 웃을 수 있었다.

"...... 응!"

# 18

[ 예훈 ]

 손을 뻗으면 물방울이 잡힐 것만 같은 습한 날씨였다.
"비 오네."
나는 미술 학원에서 나왔다. 비 때문에 평소보다 더 어둑해진 하
늘이었다. 지나다니는 사람도 하나 없었다. 뒤따를 따라오는 재
연과 이서에게 물었다.
"너희 우산 있어?"
"당연히 있지!"
이서가 당당하게 접이식 우산을 꺼내 들었다.
"뭐 우산이 필요해. 그냥 맞고 가면 되지."
재연이 제멋대로 장대비를 맞으며 뛰어갔다.
"미친놈아! 하나 더 있어!"
나는 겨우 재연을 따라잡아 우산을 건넸다.
"오, 땡큐."
우리 셋은 나란히 우산을 쓰고 집으로 향했다. 중학교가 엊그제

같았는데, 벌써 고등학교 2학년이다. 재연과 이서는 미술 대학 입시를 준비하기 위한 학원에서 만난 친구들이다.

"입시 죽일까."

재연이 물웅덩이를 차며 화풀이했다. 입시는 상상 초월로 힘들다. 기계처럼 몇십 시간씩 같은 그림만 붙들고 있을 때는 가끔 후회하기도 하지만, 이 애들도 나도 모두 미술을 좋아하고 재능이 있어서 이런 길을 선택한 것이다. 오늘도 대학이라는 꿈을 꾸며 하루를 마무리했다.

"얘들아! 자판기!"

이서가 근처 자판기를 가리키며 소리쳤다.

"비도 오는데 돈 꺼내고 하기 귀찮아."

"아, 당 떨어져 뒈질 것 같다."

둘은 내 말을 가볍게 무시하고 자판기로 걸음을 옮겼다. 하는 수 없이 나도 합류했다. 취향 따라 음료를 고르고 캔을 따려던 참이었다.

"안녕, 야옹아!"

이서가 저 멀리 나무 밑에 숨어있는 고양이를 발견하고 그쪽으로 가기 시작했다.

"야! 어디 가!"

"내버려둬. 알아서 오겠지."

재연이 콜라를 원샷하고 캬, 소리를 냈다. 그런 재연을 보며 슬쩍 물었다.

"너 괜찮냐?"

"뭐가?"

"학원 처음 다닐 때는 그렇게 힘들어했잖아. 마치…… 억지로 다니는 사람처럼?"

근처 쓰레기통에 빈 캔을 던져 넣은 재연이 말했다.

"그랬지. 근데 지금도 마찬가지야. '누군가'를 위해 이 고생을 하고 있지.”

나는 깜짝 놀라 물었다.

“왜? 누가 협박이라도 하냐? 죽었다가 깨도 미대 들어가라고?”

“나를 위해서지. 야, 그럼 내가 뭐 너를 위해서 저 지옥을 스스로 걸어 들어갔겠냐?”

“갑자기 내가 왜 나와.”

재연이 대답 대신 호탕하게 웃었다.

“재밌어, 이거. 내가 좋아서 하는 거야. ‘누구’랑 같이 있으면 자유로운 느낌이 들거든.”

“와아! 얘들아! 이거 봐! 물에 젖은 야옹이다!”

재연의 말이 끝나기도 전에 이서가 길고양이를 품에 안고 걸어왔다.

“쟤 왜 저래.”

“하여튼 4차원이라니까.”

저래 봬도 우리 학원 우등생이다.

“진이서. 넌 지금이 좋냐?”

재연의 물음에 이서가 환하게 웃으며 대답했다.

“좋아!”

왜인지 시선은 나를 향해 있었다. 상기된 두 볼이 따스했다.

“야! 버스 시간 1분 남았는데? 아 씨, 빨리 뛰어!”

재연이 핸드폰을 확인하더니 먼저 뛰기 시작했다. 다음으로 고양이를 편의점 천막 아래 놓은 이서가 뛰었고, 마지막으로 내가 뛰었다. 우리 셋은 언제나 달빛을 향해 뛰어가는 중이다. 이 시간만큼은 끝나지 않았으면 좋겠다고 달에게 빌었다.

# 19

"큼큼."

누군가가 목청을 가다듬는 소리가 들렸다. 어째서인지 나는 잠이 들어있었다.

"주동 인물 [정예훈] 님?"

나를 부르는 소리에 잠이 덜 깬 눈으로 주변을 살폈다.

"축하합니다. 귀하는 성공했습니다."

처음 보는 낯선 공간에 정장을 빼입은 한 존재와 눈이 마주쳤다.

"누구⋯⋯ 세요?"

"저는 시스템 관리자입니다. [정예훈] 님을 세 번째 주동 인물들의 세계에 전이시켜드리기 위해 잠시 공간을 마련했습니다."

모든 기억이 차곡차곡 돌아왔다. 상황 파악이 되었다. 그렇구나, 나는 성공했구나.

"그럼 저는 지금 세 번째 세계로 바로 가는 건가요?"

"그렇습니다. 준비되시면 말씀해 주십시오."

"저기……."

"왜 그러시죠?"

"남은 엑스트라들과 인사 같은 건 못 하겠죠?"

"불가합니다."

단호하고 사무적인 관리자의 말투에 나의 머리는 빠르게 굴러갔다. 기억 속을 걷던 중 덜컥, 하고 무언가 발에 걸렸다. 나는 언제나 그랬던 해답을 찾을 수 있었다.

"제가 몇 년 동안 주인공이었죠?"

관리자가 태블릿을 꺼내 만졌다.

"음, 장장 3년 동안 주동 인물이셨습니다."

얼굴에서 열이 났다. 곧이어 환희했다. '주인공과 모든 것' 책의 마지막 장. 주인공이 하나의 조건에 성립했을 시 얻을 수 있는 혜택. '주동 인물은 1년을 주기로 엑스트라를 한 명씩 데려갈 수 있다.'

"귀하께서는 총 세 명의 엑스트라를……."

"데려갈 수 있다고요?"

관리자가 안경을 치켜올렸다.

"네. 그렇습니다. 관찰자들이 제출한 보고서들 중 가장 많이 출현한 엑스트라 세 분을 보내드리겠습니다."

마음이 한껏 부풀어 올랐다. 달짝지근했다. 우리가 만날 수 있을 확률보다 그렇지 않을 확률이 더 높지만, 내가 호명했으니 분명히 만날 수 있을 것이라고 믿는다.

"엑스트라 세 분이 누구인지 호명해 드릴까요?"

"괜찮아요."

"준비되셨습니까?"

"언제든지요."

눈을 감았다. 확신한다. 나는 언제나 주인공이었고, 앞으로도 그 사실은 변함없을 것이다. 생각보다 간단한 문제였다. 지금까지의 모든 일들이 결국에는 내가 주인공이었다는 것을 증명하고 있다. 그래픽, 엑스트라, 서브 엑스트라, 메인 엑스트라가 아닌 주인공이 지금 나의 세계에 문을 두드리고 있다. 이것은 양해를 구하는 것이 아니다. 오로지 경고일 뿐이다. 드디어 내가 주인공이라는 것을 깨달았다고,

말했다고,

인정했다고.

그리고……

다시는 잊지 않겠다고.

# 20

 여름 방학식은 한없이 덥고, 지루했다. 방학 때 학원에 눌러살 것을 상상하니 더위가 끔찍하게 느껴졌다. 몽롱한 정신으로 교장 선생님의 훈화 말씀을 듣고 있을 때였다.

"정예훈!"

이서가 뒤에서 내 어깨를 두드렸다.

"오늘 너희 집 가서 점심 먹어도 돼? 돈이 없어."

무릎에 턱을 괴며 해맑은 얼굴로 물었다. 이서는 아주 어릴 때부터 알고 지낸 친구다. 나는 선생님들의 눈치를 보며 속삭였다.

"우리 집에도 먹을 거 없는데."

"라면은 있을 거 아니야."

"너 학원 시간 촉박할 텐데?"

"학원 째려고!"

고개가 아파서 잠시 정면을 보다가 다시 뒤로 돌았다.

"그런 건 대체 누가 가르쳤어?"

이서가 웃음을 참으며 누군가를 가리켰다. 멀지 않은 자리에 아주 대놓고 졸고 있는 재연이 보였다. 재연도 이서와 마찬가지로 나의 오랜 친구다.

"최재연이 내가 말하면 될 거라고 하던데."

무슨 뜻이냐고 물으려다가 그냥 재연을 노려보았다.

"쟤도 온대?"

이서가 나의 반응을 넘겨짚고 시시하다는 듯이 고개를 까딱했다.

"그럼 오든가."

"거기 학생들! 집중하세요. 학생은 잠 깨고!"

교감 선생님이 나와 이서를 보며 호통을 치셨다. 재연은 익숙한 듯 눈을 비비며 자세를 바르게 했다. 이서의 표정을 보지 못해 살짝 아쉬웠다.


"아무도 안 계시네?"

실례합니다, 라는 말과 함께 집을 둘러보던 이서가 물었다.

"너희 어머니 되게 자상하시잖아. 어릴 때는 우리를 항상 이서 씨, 예훈 씨, 재연 씨, 이렇게 부르셨고."

"회사 가셨지."

추억에 젖은 눈을 한 이서 뒤로 재연이 빠르게 진입했다.

"아, 배고프다. 빨리 손이나 씻어."

자연스럽게 화장실로 향한 재연 뒤로 이서가 중얼거렸다.

"언제 한번 다시 뵙고 싶다."

"전해드릴게. 엄마가 좋아하시겠다."

나의 말에 이서가 펄쩍 뛰었다.

"그건 좀 그래!"

"알았어."

이서의 호들갑에 저절로 미소가 지어졌다.


"매운 라면 없나?"

재연이 마치 제집처럼 우리 집 찬장을 뒤졌다. 이서는 소파에 앉아 학교에서 받은 생활 기록부를 들여다보고 있었다.

"몰라. 네가 찾아봐."

"너네 집이잖아!"

재연에게 조리를 맡기고 이서에게 다가갔다. 표정이 불편해 보였다.

"왜? 석차 9등급이라도 나왔어?"

"아니. 생활기록부용 독서 감상문을 쓰려고 책을 봤었는데, 내 진로에 안 맞아서 입력이 안 됐네. 되게 흥미진진한 책이었는데."

"그래? 제목이 뭔데?"

"제목은 생각 안 나. 대충 자존감 낮은 소설 주연이 본인이 주연이라는 걸 몰랐다가 뒤늦게 그걸 깨달아서 그제야 본인을 사랑하게 됐다는 내용?"

"야! 달걀 넣어?"

"넣지 마!"

조곤조곤 말하던 이서가 목청을 높였다가 삽시간에 다시 차분해졌다.

"그래서 만약 나도 주연인데 그걸 모르고 있는 건 아닐까, 생각해 본 적도 있지. 하하."

이서가 어릴 때의 망상을 읊조리듯 부끄러워했다.

"왜? 지금도 주인공일 수 있잖아. 너만 모르고 있을 수도 있어."

이서가 흥미로운 옛이야기를 듣는 아이처럼 나를 바라보았다. 책 내용은 잘 모르지만, 그럴 것이라는 확신이 들었다.

"너도, 나도, 쟤도 다 주인공일 수 있고."

"양심도 없는 것들아, 젓가락은 너희가 놓아."

"또 시작이다."

익숙한 재연의 불평 신호에 맞춰 나와 이서는 신속하게 움직였다. 나는 다시 이서에게 슬며시 접근했다.

"적어도 네 옆의 엑스트라들은 네가 주인공이라는 걸 알겠지."

그들이 주는 힌트를 잘 받아 봐,

우리는 주인공들처럼 웃었다.

# 작가의 말

이 글을 처음으로 구상했던 건, 중학교 3학년 때였습니다. 학교
에 다니면서 만난 여러 친구들이 저에게는 모두 영감이었습니다.
제가 보기에는 주인공 같은 친구들이, 본인들을 한낱 엑스트라로
취급하는 것을 보고 언젠가 이 글을 써 내려가기로 결심했습니
다.

소설 속 아이들이 주동 인물을 칭하는 호칭을 전부 다르게 한
것은 어른이 되어가는 아이들의 여러 시선을 표현하기 위함이었
는데요. 아이들이 사춘기를 겪으며 느끼는 여러 감정들과 의문들
도 그대로 그려내고 싶었습니다.

저는 글쓰기를 배운 적이 없어 많이 어설펐을 것이라 생각합니
다. 그래도 저의 힘든 여정을 함께해 주셔서 정말 감사합니다.
지금까지 당신 옆의 엑스트라 김민서였습니다.